D1197322

Le suivant sur la liste

Le suivant sur la liste

MANON FARGETTON

Collection dirigée par Guillaume Lebeau

RAGEOT ✸ *THRILLER*

à Barnabé

Cet ouvrage a été imprimé sur un papier
issu de forêts gérées durablement,
de sources contrôlées.

Couverture : © Paul Gooney/arcangel-images.com.

ISBN : 978-2-7002-4322-2
ISSN : 2259-0218

Loi n° 49-956 du 16-07-1949 sur les publications destinées à la jeunesse.

Accident

Jeudi 6 mars
8 heures

Nathan

Les doigts de Nathan semblaient piquer un sprint sur le clavier de son ordinateur. En fait, il s'agissait plutôt d'un marathon car il n'avait pas décollé de l'écran depuis la veille au soir.

Émilie, trois ans et demi, se faufila par la porte entrouverte, frotta ses paupières avec son doudou et jeta un coup d'œil mal réveillé à son grand frère. Celui-ci, sans cesser un instant de pianoter, leva un coude. La fillette s'approcha, escalada ses genoux, se glissa sous son bras et le replaça comme elle aurait abaissé une barrière.

– T'féko ?

– Ton pouce.

Émilie retira le pouce de sa bouche et répéta :

– T'fé quoi ?

– Je cherche.

– T'cherches quoi ?

– À découvrir.

– Com' un x'plorateur ?
– C'est ça ma puce.
Émilie bascula la tête en arrière et jeta un regard plein de fierté à Nathan qui, protecteur, resserra ses bras autour d'elle. Le pouce retrouva le chemin de la bouche, le doudou celui du nez. Bercée par le cliquètement des touches, la fillette se blottit contre son frère pour profiter d'un supplément de nuit.
Nathan fixa l'écran. Depuis plusieurs années déjà, il avait pris l'habitude de s'infiltrer dans des sites Internet de laboratoires de recherche scientifique. Il ne saisissait pas tout mais, au cœur de son étonnant cerveau, chaque information était méticuleusement enregistrée, classée, reliée aux autres selon une logique qui n'appartenait qu'à lui. Peu à peu, la toile de ses connaissances s'étendait. Et plus il engrangeait d'éléments, mieux il comprenait. Il était particulièrement fasciné par ce qui touchait à la robotique, l'informatique, l'intelligence artificielle, la mémoire... Mais l'importance de ce qu'il avait découvert ces derniers jours le laissait sans voix.
Une bombe, toute prête à exploser.
La voix de Lisa interrompit le cours de ses pensées :
– Nathan, Mimi est avec toi ?
Lisa venait juste après Nathan dans leur fratrie. Il ne prit pas la peine de répondre. Émilie était toujours collée à lui, tout le monde le savait dans la maison.
– Mimi, lança Lisa en passant sa frimousse de souris dans l'embrasure de la porte, p'tit-déj ! Maman t'attend en bas.

Émilie grogna, se pelotonnant tout contre son frère. Lisa secoua la tête.

– Nathan ?

– Hm ?

– Descends-la, on va être à la bourre.

Nathan s'arracha de son ordinateur, fit pivoter son siège, attrapa Émilie.

– En route, petit scarabée ! s'exclama-t-il en la chatouillant, c'est l'heure du p'tit-déj' !

La fillette se tortilla de plaisir en éclatant de rire. Nathan la prit dans ses bras, descendit l'escalier et déposa sa sœur dans la cuisine sur la chaise haute.

– Déjà habillé ? s'étonna sa mère en l'embrassant. Pourtant tu commences tard aujourd'hui…

– Levé tôt, marmonna-t-il comme une excuse.

Puis il tendit une tartine à Émilie, ébouriffa ses mèches blondes.

– Bonne journée, petit scarabée.

– 'Onne yournée, 'and scrayabée.

Nathan sourit, tourna les talons et regagna sa chambre en hâte pour s'immerger dans le halo bleuté de l'écran.

9 h 20

Morgane

Comme tous les jeudis matin, profitant de ce que les cours de Morgane ne commençaient qu'à dix heures, son père la conduisait à la clinique des

Cigognes à une vingtaine de kilomètres de Saint-Malo. Lorsque la voiture s'arrêta devant les grilles du parc, elle regarda son père avec espoir.

– Tu ne veux pas monter ?

– Non ma chérie. C'est ton moment avec elle.

– Ça pourrait être notre moment à tous les trois.

– J'irai la voir demain. File.

Il sourit, un sourire lointain qui s'effaça très vite sur ses joues rasées de près. Morgane soupira, sortit de la voiture, jaugea l'imposante grille de fer forgé et se résolut à la franchir. À pas lents, elle s'avança dans l'allée, accompagnée par le crissement désagréable du sable humide sous ses ballerines.

Cette conversation avec son père se répétait chaque jeudi matin et chaque dimanche après-midi – les mêmes mots, le même refus. Ce qui suivait était toujours identique : Morgane parcourait seule la longue allée bordée de chênes, pénétrait seule dans l'aile de psychiatrie de la clinique, traversait seule le hall aseptisé, gravissait seule les vingt-trois marches qui montaient vers les chambres, s'engageait seule dans le couloir aux portes vert amande et frappait seule à celle de sa mère. Mais elle avait beau attendre, frapper à nouveau, elle n'obtenait pas de réponse. Et chaque fois que Morgane poussait cette porte, elle se sentait un peu plus seule. Parce que la folie de sa mère était une absence trop lourde à porter.

Quand elle entra dans la chambre, sa mère était allongée sur le lit, un gros coussin derrière le dos, le visage auréolé de courtes mèches rousses. Morgane avança, se planta à côté d'elle.

– Maman ?

Sa mère battit des paupières et la regarda. Un regard qui passait au travers de Morgane sans la voir et lui fit l'effet d'une gifle. Enfin, un éclair de reconnaissance perça le bleu pâle de ses yeux.

– Mon bébé…

Morgane sourit, la gorge serrée.

– Je suis là.

Elle tira à elle une chaise et s'installa au chevet de sa mère qui ne la regardait déjà plus. C'est ton moment avec elle, prétendait son père. Morgane aurait souhaité en profiter, de ce moment. Mais assommée par les médicaments, sa mère n'était plus que vide.

Morgane avisa le plateau du petit-déjeuner abandonné intact sur la table de nuit.

– Tu veux manger un peu, maman ? Il faut que tu manges, tu sais.

Sa mère pencha la tête sur le côté et la dévisagea comme si elle venait de s'apercevoir de sa présence. Ses maigres mains se pressèrent nerveusement l'une contre l'autre sur le drap.

– Ils m'ont privée de toi, affirma-t-elle lentement d'un ton marqué par la culpabilité. Je ne peux même pas te protéger.

« Ils. » Morgane ignorait à qui sa mère faisait référence, mais on lui avait expliqué dès son plus jeune âge qu'elle ne devait jamais encourager ses délires paranoïaques. « Ne rentre pas dans son jeu, ne pose pas de questions lorsqu'elle divague, contente-toi de la rassurer. » Morgane posa la main sur celles de sa mère en geste d'apaisement.

– Ne t'inquiète pas, maman. Je vais bien. Il y a plein de gens qui m'aiment et me protègent.

– Non, non, ils ne peuvent pas, pas comme moi, je n'ai pas réussi à les empêcher. Je suis désolée, je suis désolée…

Les empêcher de quoi ? Morgane ne se posa pas la question. Sa mère était dans son monde intérieur, un monde plus réel que sa propre fille.

Un bref grattement à la porte. Deux infirmiers firent irruption dans la chambre.

– L'heure de la toilette !

Morgane sursauta, traversée d'un éclat de colère. Le personnel de la clinique n'attendait jamais avant d'entrer. Elle était seule à le faire, seule à espérer un signe de sa mère, une réponse qui ne naissait jamais. *Pas étonnant*, pensa Morgane agacée, *elle a tellement l'habitude que les gens circulent sans se préoccuper de son intimité qu'elle a oublié ce que signifient des coups frappés à une porte.*

– Mademoiselle, fit l'infirmier avec un grand sourire, je vais vous demander de nous laisser un instant.

Le regard de sa mère errait sur la blancheur immaculée du plafond. Elle avait l'air perdue si loin à l'intérieur d'elle-même que Morgane sentit son cœur se serrer. Les larmes aux yeux, l'adolescente sortit, referma la porte derrière elle puis marcha jusqu'à la fenêtre qui s'ouvrait sur le parc de la clinique, au bout du couloir. Elle remarqua la silhouette de son père, assis sur un banc, les épaules voûtées par la tristesse. Le cœur de Morgane se serra un peu plus.

Au-dessus de la grille d'entrée, le nom de la clinique s'étalait en lettres bleues. Les Cigognes. Probablement à cause de l'autre spécialité du lieu. En plus de la psychiatrie, la clinique était renommée dans toute la région pour son service d'aide médicalisée à la procréation et sa maternité. C'était dans ce service que travaillait la mère de Morgane il y a longtemps, avant la naissance de sa fille, avant de basculer du côté des patients et d'être internée. Morgane avait du mal à l'imaginer en blouse blanche. Sur les photos de l'époque, il lui semblait voir une étrangère, une femme lumineuse et passionnée qu'elle n'avait jamais connue.

Morgane déglutit. Son esprit oscillait entre révolte et tristesse. Révolte, face à l'injustice d'avoir une mère réduite à l'état d'épave. Tristesse, parce qu'elle ne pouvait améliorer cette situation. Ou l'inverse.

S'écartant de la fenêtre, Morgane consulta sa montre. 9 h 40. Elle allait être en retard au collège ! Un instant, elle hésita à partir sans embrasser sa mère – de toute manière c'est à peine si celle-ci s'en apercevrait avec les médicaments qu'on venait de lui administrer –, quand les infirmiers surgirent de la chambre.

– Vous pouvez lui dire au revoir, mademoiselle, mais faites vite. Elle va bientôt se rendormir.

Ils tournèrent les talons et s'éloignèrent.

Faire vite.

Soit.

De toute façon Morgane n'avait pas l'intention de s'éterniser.

Elle découvrit sa mère dans la même position que lorsqu'elle l'avait quittée, à peine plus avachie dans ses coussins. Le regard était de nouveau absent et la main, que Morgane saisit, aussi molle que d'habitude, vidée de toute volonté par les médicaments.

– Je t'aime, murmura-t-elle en pressant ses lèvres sur le front pâle où des rides d'inquiétude se creusaient de semaine en semaine.

Puis elle s'élança à travers les couloirs. Elle était en retard, terriblement en retard. Une porte s'ouvrit soudain sur sa droite et Morgane ne put éviter le garçon qui sortait de la chambre. Celui-ci poussa un hurlement strident. Elle bondit en arrière.

– Pardon, pardon, dit-elle très vite, je suis désolée...

Le cri se poursuivit plusieurs secondes, puis s'éteignit brutalement. Morgane ne savait pas comment réagir. L'adolescent était brun, portait le pyjama des patients de la clinique, et une pellicule de sueur recouvrait son front large tandis qu'il haletait en serrant contre son ventre une boîte en plastique noir. Morgane l'avait percuté, d'accord, mais elle avait à peine senti le choc, il ne pouvait pas avoir eu si mal...

Une infirmière accourut. Elle eut l'air plus étonnée qu'inquiète.

– Timothée, pourquoi as-tu quitté ta chambre ?

Le garçon dévisagea Morgane, l'air confus.

– Je voulais... je... mon cousin m'a recommandé de connecter la boîte à Internet tous les matins pour la mise à jour et...

– Ah, encore cette fichue boîte ! Enfin, le docteur pense que ça te fait du bien... Viens, trancha-t-elle en lui indiquant le couloir, et appelle-nous la prochaine fois que tu veux sortir, ça t'évitera ce genre de mésaventure.

Morgane s'apprêtait à décamper en se confondant en excuses quand le garçon se retourna vers elle :

– Je ne voulais pas t'effrayer, désolé.

Sa panique était retombée et il paraissait tout à fait sensé. Il osa un sourire timide qui rejaillit comme un rayon de lumière dans le vert intense de ses yeux.

– Tu rigoles. C'est moi qui t'ai fait peur, je me suis jetée sur toi...

Morgane avança sa main vers le bras de l'inconnu pour le réconforter. Celui-ci eut un brusque mouvement de recul.

– Vous aviez l'air pressée, mademoiselle, intervint l'infirmière. Peut-être est-il temps de partir.

Morgane baissa les yeux, mal à l'aise, puis s'éclipsa sans un regard en arrière.

Lorsque son père la déposa une quinzaine de minutes plus tard devant le collège, la deuxième sonnerie retentissait déjà. Les autres élèves de 3e B devaient être entrés en classe.

– Bonne journée chaton, lança son père en déposant un baiser sur sa joue.

– Toi aussi papa.

Ils échangèrent un regard complice, puis Morgane jaillit de la voiture, claqua la portière et se précipita vers la grille où une surveillante lui faisait signe de se dépêcher avec un sourire indulgent. Morgane sentit un poids s'envoler de sa poitrine.

Sa journée commençait enfin.

10 h 08

Nathan

Nathan roulait à toute allure vers le collège, penché sur le guidon de son vélo. Ce matin, absorbé par ses recherches, il s'était laissé surprendre par le temps, et cela le rendait furieux. Lui qui détestait se faire remarquer devrait passer chercher un billet de retard au secrétariat.

Il vira dans la rue Ville-Pépin en accélérant encore. Son formidable esprit tournait aussi vite que ses pédales. Afin d'ordonner ses pensées, il récapitula ses dernières découvertes.

Tout avait commencé avec cette fichue liste de noms.

Ce jour-là, Nathan était allé rendre visite à son cousin Timothée, interné dans une clinique psychiatrique. Il était agité, plus que d'ordinaire. Rencontrant un médecin dans le couloir, Nathan l'avait interrogé sur la raison de cette crise.

– On essaye un nouveau traitement, avait répondu celui-ci, il faut un peu de temps pour le stabiliser, mon grand, ne t'en fais pas.

Le sourire condescendant de l'homme avait déplu à Nathan – il n'y a rien de plus agaçant qu'un adulte persuadé de sa supériorité intellectuelle. Surtout quand c'est faux. Bref. Pris d'une intuition et voulant en savoir plus sur ce nouveau traitement, Nathan s'était glissé discrètement dans la salle de repos des infirmières, au bout du couloir. L'endroit était désert.

Avisant l'ordinateur qui ronronnait près de la fenêtre, Nathan n'avait pas hésité : il s'était connecté à l'intranet de la clinique pour jeter un œil au dossier de son cousin.

Un seul fichier PDF nommé « SécuritéLesCigognes » mentionnait l'adolescent – cet ordinateur ne devait pas disposer d'un niveau d'accréditation nécessaire pour accéder à toutes les données hébergées par le serveur. En l'ouvrant, Nathan avait découvert une liste de noms. Dont le sien, juste au-dessus de celui de son cousin.

Ce n'était pas complètement improbable. Les garçons étaient tous les deux nés dans le service de natalité de cette clinique, et Timothée était interné dans son service de psychiatrie depuis plusieurs années. Mais trouver cette liste dans un fichier concernant la sécurité de la clinique posait de sacrées questions… D'autant que les photos d'identité associées étaient récentes.

Des pas dans le couloir avaient tiré Nathan de ses investigations. Il avait noté mentalement le mot de passe de l'ordinateur, indiqué sur un post-it collé au mur, puis s'était faufilé au-dehors.

De retour chez lui, il s'était servi de cette machine comme d'une porte d'entrée pour s'infiltrer plus profondément dans l'intranet de la clinique. Il s'était vite heurté à des protocoles de sécurité très élaborés. Bien trop élaborés pour un établissement de ce type.

C'est en étudiant le trafic du réseau qu'il s'était rendu compte qu'il n'était pas le seul pirate sur le coup. Quelqu'un avait placé un cheval de Troie sur l'ordinateur de la salle des infirmières et lançait en ce moment même une attaque contre le serveur.

Le premier réflexe de Nathan avait été d'éjecter l'intrus pour ne pas compromettre ses propres opérations. Il s'était ravisé, laissant à l'intention du deuxième hacker un fichier « read me » qui ne contenait qu'une adresse mail. Deux minutes plus tard, son ordinateur émettait une sonnerie discrète. Il avait reçu une réponse : « L'union fait la force ? » Le message était signé Joy.

Nathan connaissait ce pseudo, Joy était un pirate informatique hors pair. Dans le milieu, sa réputation n'était plus à faire. Et il lui proposait son aide.

Chez les hackers, on ne pose pas de questions. On agit, seul ou en groupe selon ses intérêts, puis chacun s'en retourne à ses affaires, si bien que Nathan ignorait toujours pourquoi Joy cherchait à atteindre le serveur de cette clinique.

Ce qui aurait dû leur prendre deux jours de travail leur avait pris trois semaines. Mais mardi soir, ils avaient réussi à percer les sécurités de l'intranet. Nathan avait découvert non seulement le fichier médical de son cousin, mais aussi une série de rapports d'expériences qui remettaient en cause tout ce qu'il avait toujours cru savoir à propos de lui-même. Abasourdi, il avait employé son mercredi à décortiquer ces documents et avait compris que cela dépassait sa petite personne. Alors il avait repris la liste initiale afin de contacter ceux qui s'y trouvaient.

Cinq noms. Le sien, celui de son cousin Timothée, ceux de deux filles de quatrième, et celui d'un garçon qu'il ne connaissait pas mais dont le visage émacié lui semblait familier.

Nathan vira à toute vitesse dans la rue du collège. Il aperçut la chevelure rousse de Morgane qui franchissait la grille.

Morgane Fleury. Cette fille bien trop belle était inaccessible, entourée de sa nuée d'admirateurs. Elle le fuyait comme la peste depuis qu'il l'avait croisée par hasard à la clinique des Cigognes, un jour où il rendait visite à Timothée. Nathan serra les dents. Il parlerait à Morgane, qu'elle le veuille ou non.

Car elle se trouvait sur la liste.

10 h 10

Izia

Izia bifurqua tranquillement dans la rue du collège. Elle consulta sa montre. Parfait. Izia collectionnait les mots sur son carnet de liaison et se faisait un devoir de ne jamais arriver à l'heure. Elle exécrait plus que tout l'idée de se ranger dans la cour à l'appel d'une sonnerie avec les élèves disciplinés qu'elle était obligée de côtoyer chaque jour, à l'image de Morgane Fleury qu'elle voyait courir sous la galerie en ce moment même pour rejoindre sa classe à temps. Au collège, tous jouaient aux rebelles, mais ils étaient exactement l'inverse.

– Des moutons, pesta Izia, un troupeau de moutons.

Elle leva un sourcil étonné en apercevant Nathan qui déboulait sur son vélo à l'autre bout de la rue. Nathan, lui, était toujours ponctuel. Et pourtant, Nathan n'était pas un mouton. À vrai dire, il était pour Izia ce qui se rapprochait le plus d'un ami, une autre solitude à laquelle se réchauffer quand il devenait trop pesant d'évoluer dans cette jungle pleine de zombis crétins.

Izia était loin d'être populaire. Cela ne la dérangeait pas, elle cultivait son individualité comme une plante rare. Que quelqu'un l'apprécie lui semblait toujours suspect.

Aussi, quand en début de sixième, Nathan avait commencé à lui sourire et à échanger quelques mots avec elle, Izia s'était montrée méfiante. Puis elle avait compris que ce garçon discret cachait bien plus que ce qu'il donnait à voir, qu'il se fondait dans la masse par choix et que son attitude effacée était comme une tenue de camouflage. Cette stratégie de survie en milieu scolaire était suffisamment étrange pour plaire à Izia.

Elle s'apprêtait à traverser la rue en snobant le passage clouté lorsqu'un bruit de moteur attira son attention. Une Mercedes grise aux vitres teintées surgit du carrefour.

Trop vite.

Beaucoup trop vite.

Au lieu de traverser, Izia battit en retraite sur le trottoir et plissa les yeux. Les vitres de la berline étaient fumées, mais Izia avait toujours eu la vue perçante – une vue tout à fait exceptionnelle, affirmait Mme Charles, l'infirmière scolaire, qui adorait exagérer – et elle distingua sans peine le regard déterminé du conducteur qui enfonçait la pédale d'accélérateur.

Perdu dans ses pensées, Nathan releva brusquement la tête en remarquant à son tour le bruit du moteur et amorça un dérapage in extremis. La voiture était déjà sur lui.

Izia cria.

Le son de sa voix se perdit dans le crissement des freins de la Mercedes. Cette soudaine décélération ne fut pas suffisante et, comme dans un mauvais téléfilm, le vélo de Nathan fusa au ralenti vers le ciel, rebondit sur la chaussée puis s'immobilisa, le cadre disloqué.

De l'endroit où se tenait Izia, le corps de Nathan n'était pas visible. Elle fixa un instant la roue du vélo qui continuait à tourner dans le vide, choquée, puis elle recula pour se couler dans l'ombre d'un porche.

Le conducteur sortit de la voiture, une main sur la bouche, l'air paniqué. Une surveillante se précipita depuis la grille du collège, bientôt rejointe par la CPE et le principal. Un petit groupe s'agglutina autour de ce qu'Izia imagina être Nathan ; des portables jaillirent des poches, des têtes curieuses et horrifiées apparurent aux fenêtres.

Personne ne remarqua Izia.

Tremblante, elle fixait le visage du conducteur, détaillant les tremblements de ses joues, le désespoir qui marquait ses traits, les mouvements incessants de ses yeux vers l'endroit où Nathan avait dû être projeté. L'homme semblait sincère dans sa détresse, bouleversé comme le serait n'importe quel conducteur responsable d'un tel accident.

Avait-elle rêvé le coup d'accélérateur ?

Avait-elle imaginé l'expression résolue de l'homme lorsqu'il s'était engagé dans la rue ?

Après tout, la distance et la vitesse avaient pu fausser sa perception…

Izia secoua la tête. Non, s'il y avait bien une chose à laquelle elle se fiait, c'était aux informations que lui livraient ses yeux : ils ne l'avaient jamais trahie.

Sans attendre de connaître l'état de Nathan, Izia décampa au son des premiers gyrophares, les jambes en coton, le souffle court.

Il lui semblait qu'une main invisible comprimait sa poitrine.

10 h 15

Morgane

Immobile sous la galerie, les mains crispées sur la rampe de pierre, Morgane avait l'impression que les événements autour d'elle se déroulaient au ralenti, un peu comme dans un rêve.

Au ralenti, l'infirmière scolaire dévala les marches, ses éternelles petites lunettes sur le bout du nez, et traversa la cour d'honneur pour rejoindre la grille.

Au ralenti, elle s'accroupit près du corps du cycliste.

Au ralenti, un camion de pompiers et un véhicule de police s'immobilisèrent sur le trottoir.

C'est en voyant descendre les policiers de leur voiture que Morgane sortit de sa léthargie. L'un d'eux ne portait pas d'uniforme. Elle reconnut les cheveux blonds et la silhouette svelte du capitaine de police Marc Loizeau, un ami de son père.

Morgane descendit vers la rue à pas lents.

– Retourne en cours, lui enjoignit l'une des surveillantes agglutinées près de la grille.

Mais Marc l'aperçut. Il fendit le groupe, s'approcha d'elle, saisit ses épaules, plongea ses yeux clairs dans les siens.

– Morgane ! Tu n'as rien ?

Elle hocha la tête, incapable de répondre. Marc eut l'air rassuré.

– Rejoins les autres, je viendrai te parler plus tard.

– Le blessé, c'est qui ? articula-t-elle avec difficulté.

Marc hésita un instant avant de lâcher :

– Nathan Valentin. Un 3e. Tu le connais ?

Morgane resta impassible. Elle savait qui était Nathan. Au collège, tous ignoraient l'état de sa mère, jusqu'à ce qu'elle croise Nathan à la clinique. Ce jour-là, il y a un peu plus d'un an, elle avait eu l'impression que son monde s'écroulait. Quelqu'un avait découvert son secret, elle allait devenir « la fille de la folle », ses amis la rejetteraient, plus personne ne lui adresserait la parole comme si le malheur était contagieux.

Les semaines suivantes, Morgane avait vécu avec cette épée de Damoclès au-dessus de la tête, certaine que Nathan finirait par parler.

Mais il s'était tu.

– Comment va-t-il ?

Marc jeta un regard ennuyé vers la rue, choisit de botter en touche :

– Je ne sais pas exactement. Les pompiers s'en occupent.

Le capitaine Marc Loizeau confia Morgane aux soins d'une surveillante. Celle-ci la prit doucement par les épaules et l'entraîna à l'intérieur du bâtiment.

Après une heure d'attente, Morgane apprit la nouvelle avec ses camarades de classe. Nathan Valentin était mort. Les professeurs assureraient l'accueil de leurs élèves toute la journée, mais il n'était pas question de faire cours, et ceux qui le désiraient pourraient rencontrer des psychologues.

Voyant les réactions de ses camarades, Morgane se joignit au collectif de pleurs et de visages ravagés. Mais au fond d'elle, malgré la tristesse qu'elle ressentait face à cette mort soudaine, une seule chose importait vraiment : plus personne ne pourrait dévoiler l'état de sa mère.

Son secret était sauf.

11 h 35

Marc Loizeau

Le capitaine contempla la famille en larmes qui l'attendait dans le couloir de l'hôpital. C'était son rôle de leur parler. Mais que pouvait-il leur dire ? Leur fils, leur frère, était mort. Ses paroles, quelles qu'elles soient, seraient vides de sens.

Alors qu'il s'apprêtait à les rejoindre, son téléphone personnel sonna.

Il décrocha.

– Je vous ai déjà dit de ne pas m'appeler sur cette ligne, siffla-t-il.

– Nous avons juste besoin d'une confirmation, répondit une femme qu'il ne reconnut pas. La cible ?

Comprenant que son intuition sur le décès de Nathan Valentin était justifiée, Marc Loizeau leva les yeux vers la famille en deuil.

– C'est un succès, annonça le capitaine d'une voix sourde.

Il interrompit brusquement la communication.

Timothée

– Bien sûr, je comprends.

Timothée se leva de son lit, alerté par la voix de sa mère de l'autre côté de la porte. Elle discutait avec l'infirmière. Il détestait que l'on parle de lui quand il pouvait entendre, aussi ouvrit-il la porte sans attendre que sa mère frappe.

– Mon grand, dit-elle tendrement dès qu'elle l'aperçut.

Elle plaça la main droite sur le haut de sa robe, juste à l'endroit du cœur. Ses doigts semblèrent y saisir quelque chose d'invisible, puis le lancer vers Timothée. Celui-ci sourit et répéta le geste de sa mère. C'était leur salut, celui qu'ils avaient inventé lorsqu'il n'avait plus supporté le moindre contact physique, six ans plus tôt.

– Tu as encore poussé, murmura-t-elle en refermant la porte dans son dos. Tu ne t'arrêteras donc jamais...

Timothée décela dans sa voix un éclat de tristesse inhabituel. Un simple coup de déprime ? Non, c'était autre chose. Son front se plissa malgré lui.

Même lorsqu'il ne touchait pas les gens, Timothée était capable de sentir leur humeur. « Empathe », disaient les médecins, une empathie si puissante qu'elle en devenait handicapante et l'obligeait à se terrer au milieu des fous dans une chambre d'hôpital. Peut-être y était-il à sa place ? ne pouvait-il s'empêcher de penser. Car à chaque fois qu'une personne entrait en contact avec lui, des pensées étrangères déferlaient sur les siennes sous forme de mots, d'images, d'impressions, de couleurs, comme des milliers de flèches plantées d'un coup dans son cerveau et qui le laissaient haletant, confus, peinant à distinguer son propre esprit de celui de l'envahisseur. Le terme d'« empathe », un mot d'ordinaire absent du jargon psychiatrique, était en lui-même un aveu d'impuissance. Les médecins étaient incapables d'identifier sa pathologie.

Timothée recula d'un pas pour observer sa mère. D'habitude, c'était une femme joyeuse qui remplissait les silences par des mots légers et des chansons. À cet instant, elle semblait vouloir s'exprimer sans savoir par où commencer.

– Maman ?

Elle leva vers lui ses yeux verts, exactement identiques aux siens.

– C'est Nathan, dit-elle enfin. Il a eu un accident.

À ces mots, quelque chose de doux et de moelleux se brisa en Timothée, explosant en milliers d'infimes fragments glacés. Il avait compris ce que sa mère avait tu. L'ovale de son visage déformé par la douleur et le tremblement nerveux à la commissure de ses lèvres trahissaient ce qu'elle n'avait pas réussi à énoncer.

Son cousin n'avait pas eu un simple accident.

Il était mort.

Cette chose douce et moelleuse qui se brisait dans l'esprit de Timothée, c'était la barricade qu'il y avait construite avec Nathan. Une solide barricade contre la folie.

Pour Timothée, Nathan était bien plus qu'un cousin, bien plus qu'un ami, bien plus que le frère qu'il n'avait jamais eu.

Nathan était celui qui l'accompagnait jour après jour, de l'autre côté de la petite boîte noire. Il était celui qui lui avait offert une présence quotidienne sans risque de contacts. Il était la seule personne à avoir trouvé un moyen pour soulager ses peines et combler sa solitude.

Il était... mort. Et c'était insupportable.

Timothée recula lentement jusqu'à la fenêtre. Anesthésié par la nouvelle, il ne sentit pas le contact froid de la vitre dans son dos. Puis la réalité de l'accident lui revint en boomerang. La douleur s'éveilla, aiguë, lancinante. Timothée plaqua ses mains contre ses tempes et cria.

Effrayée par ce hurlement, sa mère s'avança, tendit les mains vers lui, tellement dépassée par les événements qu'elle en oubliait la maladie de son fils.

Il cria :

– Ne me touche pas ! Ne me touche pas !

Elle s'écarta vivement. Timothée se laissa glisser le long du mur et se recroquevilla sur le sol. Il sanglotait sans qu'aucune larme vienne mouiller ses joues. Puis il se mit à gémir comme un animal blessé.

Deux infirmières entrèrent dans la chambre. Elles parlaient doucement, mais Timothée ne les entendait pas. Il était perdu en lui-même, perdu dans sa douleur. Une phrase réussit pourtant à percer la carapace de sa conscience :

– Si tu ne prends pas ce calmant, je vais être obligée de te toucher.

Si le contact de sa mère était douloureux pour Timothée, le contact avec une étrangère était insupportable – il sentait encore les séquelles de sa mésaventure de ce matin, dans le couloir, lorsque cette fille rousse l'avait percuté alors qu'il sortait de sa chambre. Timothée se tut aussitôt. Il se releva, chancelant. Avec des gestes lents et maladroits, il prit le calmant et les somnifères qui l'attendaient sur la table de nuit et les avala avec le verre d'eau que lui tendait sa mère, puis il s'écroula sur son lit.

– Il va aller mieux maintenant, dit l'infirmière.

– Vous croyez ? demanda sa mère d'une voix angoissée. Je ne l'avais pas vu comme ça depuis longtemps...

– C'est le choc. Un peu de sommeil le calmera.

Sentant la chape brumeuse des médicaments tomber sur sa conscience, Timothée ramena les couvertures sur son corps. Les voix lui semblaient assourdies, comme si elles lui parvenaient à travers un mur de coton. Encore une fois, on parlait de lui à la troisième personne alors qu'il se trouvait dans la pièce. « Je suis là ! », eut-il envie de rugir. Les mots se perdirent avant d'atteindre ses lèvres.

Timothée tourna la tête vers sa mère. Son regard accrocha au passage la silhouette rectangulaire de la boîte noire que lui avait donnée Nathan, posée sur la table de chevet. Cet objet avait changé sa vie. Si le petit écran qui se trouvait sur le dessus était éteint, le voyant juste à côté, lui, était toujours vert. Se pouvait-il que… ? Un espoir un peu fou embrasa sa poitrine.

Il est mort, se dit-il. *Mais peut-être est-il encore là ! Oui, il en est capable, il a pu faire cela, il a pu le faire pour moi…*

Les pensées de Timothée devenaient aussi pâteuses que sa bouche. Les yeux fixés sur le voyant vert qui clignotait, il lutta un instant contre les effets du médicament, essayant de tendre le bras pour saisir la boîte.

Il bascula dans un sommeil sans rêve avant d'y parvenir.

Messages

16 h 45

Izia

Izia franchit la porte de chez elle et la laissa claquer dans son dos. Elle fit glisser la bandoulière de son sac qui atterrit avec un bruit mou sous le portemanteau de l'entrée. Un malaise gluant lui collait à la peau. Ce n'était pas seulement la tristesse et le choc... il y avait autre chose, quelque chose qu'elle ne s'expliquait pas.

Ce matin, après l'accident, elle avait traîné du côté de l'hôpital, jusqu'à ce qu'elle apprenne la mort de Nathan. Puis elle avait marché vers le Sillon, la grande plage de Saint-Malo, et erré le reste de la journée sur le front de mer. Plusieurs fois, elle avait eu la sensation d'être observée. Elle s'était retournée pour scruter les rares passants qui marchaient sur la digue, mais aucun ne semblait s'intéresser à elle.

La marée montante avait peu à peu recouvert le sable, repoussant Izia vers la ville et, lorsque les vagues avaient chahuté les pieds des brise-lames, elle était rentrée chez elle.

Son ventre vide lança un gargouillis grotesque dans le silence de l'appartement. Izia n'en tint pas compte. Elle fila droit vers la salle de bains. Ses habits jonchèrent bientôt la moquette orange du couloir puis, pieds nus sur le carrelage froid, elle ouvrit le robinet de la douche, attendant en frissonnant que l'eau chauffe avant de pénétrer sous le jet brûlant. Assise au fond du bac, elle laissa la torpeur abrutir sa peine et son malaise à grand renfort de vapeur. Elle resta là une bonne demi-heure – sa mère allait l'engueuler de gaspiller l'eau comme ça. Mais l'impression gluante ne la lâchait pas.

Izia se résolut à sortir de la douche, s'emmitoufla dans l'immense peignoir de sa mère et se réfugia dans sa chambre. Au milieu de ces murs familiers, elle se sentit un peu mieux. Son regard survola sans les voir le poster de David Bowie et les tourne-disques qui traînaient au milieu d'automates cassés et d'accordéons aux touches manquantes, puis s'arrêta sur le vieil ordinateur qu'elle avait récupéré quand sa mère avait voulu le jeter. Izia aimait bien les trucs anciens, elle récoltait ce dont les autres ne voulaient plus et s'en servait pour créer des objets étranges qui jonchaient ses étagères. Bref. Elle s'assit devant le clavier et alluma l'ordinateur.

En se connectant à sa boîte mail, Izia parcourut rapidement l'objet des messages... et eut l'impression de recevoir un coup de poing à l'estomac.

« Rejoins Nathan Valentin sur Facebook ! », disait l'un d'eux. Le mail datait du début de l'après-midi.

Rapidement, deux pensées se percutèrent dans l'esprit d'Izia :

1) Nathan est mort ce matin.

2) Nathan n'est pas sur Facebook.

Elle et lui devaient être les deux seuls extraterrestres du collège à ne pas posséder de compte sur le réseau social. Forte de ces observations tout à fait rationnelles, et face à l'existence incompréhensible de ce mail, les seuls mots qui trouvèrent le chemin de sa bouche furent :

– What the fuck... ?

En toutes circonstances, Izia restait rock'n'roll.

Elle cliqua pour lire le contenu du mail. Son vieil ordinateur ramait avec le chuintement caractéristique du disque dur prêt à rendre l'âme. Tandis qu'elle fixait le petit sablier qui n'en finissait pas de se retourner sur l'écran, les images de l'accident de Nathan défilèrent pour la millième fois de la journée devant ses yeux. Les mêmes questions revinrent tournoyer sous son crâne : avait-elle rêvé le coup d'accélérateur du conducteur de la Mercedes ? Avait-elle imaginé son visage déterminé ? Izia fit jouer ses mâchoires pour les détendre.

Quand le mail s'afficha enfin, elle fut déçue. Juste un bla-bla standardisé avec un lien qui l'invitait à se connecter à Facebook. Pas le moindre message personnel, rien.

Rien, sauf que selon Marc Zuckerberg, le mail avait été émis depuis un compte au nom de Nathan Valentin.

Sans attendre, Izia cliqua sur le lien pour se créer un profil.

17 h 30

Morgane

Dans le vestiaire du cours de danse contemporaine, les filles se rhabillaient en discutant du gala de fin d'année sur lequel elles travaillaient.

– J'adore le moment où on se rassemble toutes en cercle autour de toi, Morgane ! s'exclama Marie, une petite brune au corps menu.

Morgane lui sourit en ôtant ses chaussons de modern jazz. Comme les années précédentes, il avait semblé naturel à tout le monde que Morgane soit mise en avant dans les chorégraphies auxquelles elle participait. Elle était douée, lui assurait sa prof, assez pour préparer le concours d'entrée d'un conservatoire régional. Auparavant, Morgane dansait comme elle exécutait tout le reste : avec application, un grand sourire aux lèvres, sans trop se fatiguer. Les gens qui l'entouraient n'avaient jamais été très exigeants, et le peu d'efforts qu'elle fournissait suffisait pour recueillir leurs louanges. Alors pourquoi se donner plus ?

Mais ce concours, Morgane s'était rendu compte qu'elle voulait le réussir. Pour la première fois de sa vie, elle avait un but qui lui tenait vraiment à cœur. Et elle savait au fond d'elle que, quoi qu'en disent sa prof ou ses amies, elle *n'avait pas* le niveau. Elle avait donc décidé de s'entraîner seule, libérée du regard complaisant des autres. Les cours de danse communs étaient devenus sa récréation. Le véritable travail, elle le faisait une fois rentrée chez elle, face au miroir, sur le vaste parquet de sa chambre.

Morgane enfila son jean, glissa ses affaires de danse dans son sac, libéra son chignon et se pencha en avant pour rassembler son abondante chevelure rousse en queue de cheval.

– Qu'est-ce que j'aimerais avoir des cheveux comme les tiens, fit Alice, une jolie blonde aux yeux pâles.

– Les tiens sont magnifiques, lui assura Morgane en se redressant.

Un grand sourire fleurit sur les lèvres d'Alice.

– Merci. Malheureusement, ajouta-t-elle avec malice, Antoine semble préférer les rousses...

Antoine. Beau gosse, surfeur, gentil, et drôle par-dessus le marché. Toutes les filles du collège craquaient.

– C'est vrai Morgane, renchérit Marie, nous dis pas que tu n'as pas remarqué la manière dont il te mate !

Les filles gloussèrent. Morgane esquiva.

– Pas mon genre, lâcha-t-elle avec un petit sourire d'excuse.

– Tu rigoles ? Ce mec est un dieu !

– Bien ce que je dis. Il est trop... trop.

– Bon, fit Marie, et Lucas ? Ou Gabriel ? C'est dingue que tu ne t'intéresses pas plus aux mecs, tu pourrais avoir n'importe lequel !

Les filles la dévisageaient les yeux brillants, espérant une réponse. Morgane retint un soupir. Elles avaient raison. Elle aurait pu sortir avec n'importe quel mec du collège, elle n'avait qu'à choisir. Et c'est justement parce que c'était à ce point gagné d'avance qu'elle fuyait la question.

Quel était l'intérêt quand elle aurait pu les avoir tous ? Si elle n'avait pas un minimum à *mériter* leur attention ? Il n'y avait pas de challenge, pas de doute, pas de frisson... C'était ennuyeux au possible, contrairement à ce que pensaient ses amies.

– Je verrai quand je rencontrerai le bon, fit-elle avec un sourire énigmatique.

Morgane était pressée de rentrer s'entraîner. Elle attrapa sa veste, son sac, et salua à la volée.

– À demain, les filles !

– À demain, Morgane !

Elle dévala les escaliers. Dans la rue, aucune trace de la voiture de son père. Morgane se posta devant la vitrine de la boulangerie. Pour patienter, elle attrapa son téléphone. Trois SMS non lus, vingt e-mails et une quinzaine de notifications Facebook. Elle lança l'application du réseau social.

Après avoir parcouru la colonne de commentaires qui s'étalait sous son dernier statut, elle se dirigea vers les messages. Deux l'attendaient. Le premier l'invitait à un anniversaire. Quant au deuxième...

Morgane sentit le sol se dérober sous ses pieds. Elle s'appuya contre la vitrine de la boulangerie et relut le message avec attention.

15h45

Morgane, tu es en danger. Rends-toi à l'endroit où nous nous sommes croisés l'année dernière.

Trouve Timothée. Assure-toi qu'il débride sa boîte. Alors je pourrai vous donner des réponses.

Nathan

Le cœur de Morgane battait la chamade. Pas à cause du danger qu'évoquait le message, mais à cause de ce que la deuxième phrase impliquait.

À l'endroit où nous nous sommes croisés l'année dernière...

Nathan ne faisait pas allusion au collège, il évoquait la clinique des Cigognes, le jour où il avait découvert son secret. Or à l'heure où ce message avait été envoyé, Nathan était mort.

Les explications possibles s'entrechoquaient dans l'esprit de Morgane. Soit Nathan n'était pas mort, soit quelqu'un avait usurpé son identité, quelqu'un qui connaissait l'état de sa mère, quelqu'un qui mettait en danger une fois de plus le fragile équilibre de sa vie. Elle devait découvrir qui se cachait derrière l'écran.

D'une pression du pouce, Morgane se rendit sur le profil de Nathan.

Le compte avait été créé trois mois plus tôt, et Nathan n'y avait jamais rien posté.

Les seules informations visibles étaient ses amis, au nombre de trois, ce qui était plutôt inhabituel... Le plus ancien était un certain Timothée Maclum – le même prénom que dans le message. Leur amitié remontait au jour de création du compte. Les deux autres étaient amis avec lui depuis trois jours : un garçon nommé Samuel Roux, et elle.

Bizarre.

Morgane ne se souvenait pas d'avoir accepté Nathan comme ami. Quant à ce Samuel, un brun banal au regard fuyant selon sa photo de profil, elle ne le connaissait pas.

Alors qu'elle cherchait en vain d'autres informations, une nouvelle amie apparut sur le profil de Nathan. Izia Faure. Une fille du collège qui restait toujours à l'écart dans la cour.

Morgane cliqua sur le nom d'Izia. Son profil avait été créé quelques instants plus tôt.

– Mais qu'est-ce que... murmura-t-elle.

– Morgane !

Elle releva la tête. Son père lui faisait signe par la fenêtre de sa voiture. Elle courut le rejoindre sans lâcher son téléphone.

– Ça va, ma puce ? demanda-t-il dès qu'elle fut installée. Marc a appelé pour me prévenir de ce qui s'est passé ce matin au collège... tu veux en parler ?

Il n'était pas étonnant que Marc, l'ami policier de son père, ait alerté celui-ci. Après tout, elle était en état de choc ce matin lorsqu'il l'avait vue derrière les grilles du collège. Mais s'il y avait bien une chose dont Morgane n'avait pas envie, c'était d'en parler.

– Non, ça va, fit-elle en se composant un sourire rassurant. Un psychologue est venu dans notre classe cet après-midi. On a déjà beaucoup discuté de l'accident.

Il acquiesça, soucieux, avant de redémarrer.

Bouclant sa ceinture, Morgane fixa à nouveau son attention sur l'écran de son téléphone. Le profil de Nathan était vide, celui d'Izia aussi. Restait celui de ce Samuel.

Elle s'empressa de l'explorer.

Samuel

Son casque vissé sur les oreilles, Samuel s'engouffra en louvoyant dans la cage d'escalier du HLM. Il avait à peine monté un étage que son téléphone vibra dans la poche arrière de son baggy. Il l'attrapa. Une notification Facebook lui annonçait qu'il avait reçu un message de Nathan Valentin.

– Nathan Valentin ? C'est qui ce crétin ?

Haussant les épaules, il éteignit l'écran défoncé de son téléphone sans lire le message et le fourra dans sa poche. Il décrocha le trousseau de clefs qui pendait à sa ceinture et parcourut le couloir sous la lumière fade des néons. L'appartement n'était pas verrouillé comme il l'aurait dû. Sur ses gardes, Samuel entra discrètement. Le plafonnier du salon était allumé. Il grimaça et referma sans bruit la porte.

– Sam ? appela la voix de sa mère.

Au regard inquiet et déçu qu'elle lui lança lorsqu'il franchit le seuil du salon, il comprit qu'elle savait. D'une certaine manière, cela le soulagea d'un poids. Mais il n'en montra rien.

– Quoi ? aboya-t-il simplement.

– J'ai eu une visite aujourd'hui à l'hôpital. Une assistante sociale.

Elle fit une pause, cherchant dans le regard de Samuel une trace de compréhension. Mais si ses pensées tournaient à toute allure, il ne lui renvoya qu'un regard blasé. Infirmière, sa mère travaillait beaucoup et était rarement à la maison, aussi avait-il pu jusqu'ici intercepter tous les appels de la CPE et effacer les messages sur le répondeur. Il avait réussi à lui cacher qu'il n'était pas retourné au collège après les vacances de Noël. Bien sûr, ils avaient fini par aller la trouver à son boulot. Elle laissa échapper un soupir fatigué.

– Je peux savoir ce que tu fais de tes journées depuis deux mois ?

Il haussa les épaules – sa réponse habituelle, quelle que soit la question posée.

– Si ton père était là...

– Ouais ben il est pas là, répondit-il du tac au tac, et ça risque pas de changer !

– Sammy !

– Ne m'appelle pas comme ça !

Il tourna les talons, sortit de l'appartement en claquant la porte et dévala furieux les escaliers de l'immeuble. Dans la rue, il envoya valser toutes les poubelles qu'il croisa. Puis il partit en courant, essayant à chaque foulée de purger cette rage qu'il sentait bouillonner en lui.

Elle n'avait pas le droit de parler de son père.

Elle n'avait pas le droit, putain.

18 h 50

Izia

Cliquetis de clés, chuintement de manteau.

– Izia ? lança sa mère depuis l'entrée.

– Là ! répondit-elle distraitement, les yeux fixés sur l'écran de l'ordinateur.

Sa mère, longues boucles brunes et lunettes rectangulaires, glissa la tête dans l'entrebâillement de la porte.

– Qu'est-ce que tu fais là, ma grande ? Tu ne devrais pas être chez ton père ?

Izia sursauta. Merde ! Perturbée par les événements de la journée, elle était machinalement rentrée chez sa mère alors qu'elle était censée passer la soirée avec son père, la dernière avant qu'il reparte pour l'un de ses longs voyages. Il devait s'inquiéter de ne pas la voir arriver.

– Si. J'ai oublié !

Izia éteignit l'ordinateur, rassembla rapidement quelques affaires dans un sac à dos fatigué et se précipita vers l'entrée. Sa mère la suivit dans le couloir.

– Tu veux que je te conduise ? proposa-t-elle.

– Non, ça va. J'irai aussi vite à pied.

– Je le préviens par texto. File. Et bipe-moi quand tu arrives, d'accord ?

Izia opina, attrapa sa veste de velours côtelé et sortit. Dehors, la nuit était tombée. Son père habitait dans l'enceinte des remparts, de l'autre côté du port, à un quart d'heure de marche. Elle s'engagea sous la lumière blême des lampadaires. La fraîcheur du soir l'aida à clarifier ses pensées.

Nathan était mort ce matin.

Nathan était sur Facebook depuis plusieurs mois mais n'y faisait rien.

Nathan, ou plutôt quelqu'un qui usurpait l'identité de Nathan, lui avait envoyé cet après-midi une invitation pour qu'elle se connecte au réseau social.

Mais une fois qu'elle avait compris le fonctionnement du site, elle n'avait rien trouvé. Est-ce que c'était une blague ? Une mauvaise, alors...

Izia se retourna. Comme plus tôt dans la journée, elle sentit une présence dans son dos. Ses yeux perçants fouillèrent l'ombre des porches et des perrons. Personne. Elle reprit son chemin, longea les quais, jetant des regards nerveux aux rares passants. Bruits de pas derrière. Elle sursauta et, effrayée, se mit à courir.

Les remparts de la vieille ville apparurent au loin. Izia aperçut devant elle les gyrophares tournoyants qui indiquaient que le pont au-dessus des écluses était en train de se refermer. Un petit groupe de piétons attendait sagement pour traverser. Ignorant les avertissements de sécurité que l'éclusier lançait dans le haut-parleur, Izia s'engouffra sous la barrière rouge et blanche avant que le pont soit complètement en place. Elle sauta par-dessus le mètre de vide restant, atterrit souplement de l'autre côté, et reprit sa course vers les remparts. Le bruit de pas dans son dos avait cessé.

Elle se retourna, scannant les visages des piétons qui traversaient à présent les écluses. Celui qui la suivait était-il l'un d'eux ? Est-ce qu'on la suivait vraiment, ou est-ce qu'elle imaginait tout cela à cause de l'accident de Nathan ?

Izia franchit enfin le haut porche de pierre qui s'ouvrait dans l'épais mur des remparts. Elle parcourut à toute allure les ruelles pavées, zigzaguant entre les promeneurs. L'air froid lui brûlait la gorge. Elle bifurqua dans la rue de son père. Il habitait un triplex dans une étroite maison de granit qui paraissait écrasée par ses imposantes voisines. Elle entra, referma la porte derrière elle, s'y adossa pour reprendre sa respiration.

– 'Zia ?

La voix de son père provenait de son atelier de tatoueur, au sous-sol. Izia s'engagea dans l'escalier. Son père, barbe de trois jours, queue de cheval brune et veste en cuir, était installé à sa table à dessin.

– Bonjour ma puce !

Il lui adressa un large sourire. Elle s'approcha de la table. Il terminait l'esquisse d'un gigantesque dragon.

– Qu'est-ce que tu en dis ?

– Beau.

Quelque chose dans sa réponse dut l'alarmer, car il releva la tête et la dévisagea.

– 'Zia ? Qu'est-ce qu'il y a ?

– Rien. Je flippe toute seule. T'inquiète.

Il la fixa en silence. Un pli apparut entre ses sourcils fournis, exactement le même que sa fille.

– Je ne t'ai jamais vue avoir peur de quoi que ce soit, reprit-il lentement. Tu n'as jamais pleuré à cause du noir, jamais fait de cauchemars, tu jouais avec les araignées comme si elles étaient tes meilleures amies.

Alors si tu admets que tu flippes, évidemment que je m'inquiète. Qu'est-ce qui te fait peur ?

– Rien je te dis ! Tu fais chier !

Pourquoi était-elle si transparente ? Elle se détourna mais son père la rattrapa par l'épaule. Ses mains épaisses de baroudeur l'obligèrent à le regarder.

– Oui, je fais chier. Je suis ton père. Je suis aussi là pour ça.

Izia se dégagea, fonça vers les escaliers, gravit les marches quatre à quatre et s'enferma dans sa chambre. Demain, son père s'envolerait pour le Chili à la recherche de nouveaux motifs pour ses tatouages. C'était la dernière soirée qu'ils partageaient avant un mois, et elle l'entamait en lui criant dessus. Assise sur son lit, Izia serra un coussin contre son ventre.

Comment pouvait-on foirer une journée à ce point ?

Suivis

Vendredi 7 mars
9 h 50

Izia

Adossée aux casiers colorés qui recouvraient un mur du préau, Izia hésitait. Elle observait le petit groupe rassemblé autour d'un banc, dans le coin ensoleillé de la cour. Princesse Morgane et sa suite. Fille à papa au long corps de danseuse couvert de fringues hors de prix, Morgane représentait tout ce qu'Izia méprisait. Pourquoi alors n'arrivait-elle pas à la détester ? Cette fille taillée pour refléter la lumière lui semblait aussi agaçante qu'adorable. Izia secoua la tête, contrariée.

– Comme les autres, murmura-t-elle pour se convaincre, elle est comme les autres.

Comme les autres, oui, sauf qu'elle figurait parmi les rares amis Facebook de Nathan... bien qu'ils n'aient sûrement pas échangé plus de deux phrases dans la vie réelle ! Ou s'ils se connaissaient, ils ne le montraient pas au collège...

Izia voulait en avoir le cœur net. Elle se redressa d'un coup d'épaule et traversa la cour d'un pas décidé.

9 h 55

Morgane

Morgane repéra de loin le mouvement d'Izia, comprit qu'elle venait la voir, sentit sa bouche s'assécher. Elle détourna les yeux et cacha sa nervosité en riant un peu trop fort à la blague d'une amie. Non, se rassura-t-elle, elle se faisait des idées, Izia traversait simplement la cour pour rejoindre sa prochaine salle de classe... Mais Izia força bientôt le cercle protecteur de ses amies sans tenir compte des coups d'œil mauvais et des murmures de protestation.

Courtes boucles brunes en bataille d'un côté, cheveux ras de l'autre, Izia se planta devant Morgane.

– Je peux te parler ?

– Pour qui elle se prend ? chuchota une voix outrée.

– Me parler de quoi ? s'enquit Morgane.

Pour toute réponse, Izia se contenta de la fixer. Visage triangulaire, pommettes saillantes, Izia avait des airs de félin. Ses yeux étaient si sombres que Morgane ne distinguait pas la pupille de l'iris. Ils étaient surtout infiniment sérieux. « Tu n'y échapperas pas », semblaient-ils asséner. Malgré les protestations de ses amies, Morgane désigna un recoin à l'écart. Les deux filles s'y rendirent, s'attirant au passage des regards curieux et perturbés, comme si cet appariement inhabituel remettait en cause la hiérarchie du collège.

– Qu'est-ce que tu veux ? lâcha Morgane.

Izia la jaugea, méfiante. Morgane s'impatientait. Du côté du banc, l'attention de toutes ses amies était braquée sur elles.

– Nathan, tu le connaissais ?

Le cœur de Morgane accéléra. Son instinct la poussait à éviter le sujet, mais elle voulait en apprendre plus sur Nathan. Elle devait découvrir qui lui avait envoyé ce message, la veille, qui était cette personne qui partageait son secret. Et si Izia venait vers elle ce matin, c'est sans doute qu'en effectuant des recherches parallèles aux siennes sur Facebook, elle était tombée sur son nom dans la liste d'amis de Nathan. Cette fille savait peut-être des choses... Peut-être avait-elle reçu un message, elle aussi ?

– Pas vraiment, dit Morgane. On était dans la même classe, c'est tout.

La sonnerie stridente retentit. La cour commença à se vider lentement et les goélands se précipitèrent sur les restes de goûters. Pour obtenir des informations, Morgane allait devoir en donner, il n'y avait plus le temps pour la méfiance.

– Il m'a envoyé un message, avoua-t-elle.

– Quand ?

– Hier aprèm. Il a écrit un truc qu'il était le seul à savoir.

Izia n'eut pas l'air surprise.

– Quel truc ?

Le visage de Morgane se ferma et ses yeux verts se firent durs comme des pierres précieuses.

– Tu crois qu'il pourrait... être encore vivant ? lâcha-t-elle sans répondre.

– Non. J'étais à l'hôpital hier midi. Il y avait ses parents, ses petites sœurs... J'ai vu leurs visages. Nathan est mort. Pas de doute.

– Tu étais à l'hôpital ? s'étonna Morgane.

– Que disait le message ?

La deuxième sonnerie interrompit leur conversation. Elles auraient déjà dû être rangées devant leurs salles de classe. Morgane jeta un œil vers le banc. Ses amies l'avaient attendue, elles lui adressaient de grands signes pour qu'elle les rejoigne. Frustrées, Morgane et Izia échangèrent un bref regard. Trop de choses à se dire et pas le temps de le faire.

– Ce midi, lâcha Morgane. Rendez-vous à la grille.

– Ce midi, acquiesça Izia.

11 heures

Timothée

Timothée se retourna dans son lit. La lumière qui entrait à flots par la fenêtre de la chambre frappa ses paupières closes. Il papillonna des yeux, peinant à chasser la brume du sommeil. Il aperçut sur sa table en formica le plateau de son petit-déjeuner qu'une infirmière avait dû déposer sans le réveiller.

Puis il se souvint.

Timothée se redressa d'un coup, frotta ses paupières, fixa le boîtier noir sur sa table de nuit. Le voyant vert clignotait toujours, comme une présence complice.

Depuis trois mois, il illuminait son quotidien. Timothée tendit une main fébrile, l'attrapa, le déposa sur ses genoux. C'était un simple cube de plastique noir, avec un écran et un haut-parleur sur le dessus. Nathan n'avait pas travaillé les finitions – le design, ce n'était pas trop son truc. En revanche, il pesait suffisamment lourd pour ne pas ressembler à un jouet. Sur le côté, un interrupteur. Il le bascula sur « on ». Aussitôt, le voyant vira au vert fixe, un smiley apparut sur l'écran, et une voix lança :

– *Hello Tim ! Ça gazouille ?*

Le cœur de Timothée fit un bond. Nathan. La voix de Nathan. Ce n'était pas vraiment lui bien sûr, pourtant... Timothée prit une longue inspiration pour calmer son excitation.

– Mec, murmura-t-il enfin, c'est plutôt à toi qu'il faudrait poser la question...

12 h 05

Morgane

– Suis-moi, murmura Morgane en dépassant Izia.

Elle continua de longer la grille du collège comme si de rien n'était, tourna au coin de la rue, s'arrêta à l'abri des regards.

Izia la rejoignit quelques secondes plus tard.

– On va où ?

– Un coin tranquille.

– La plage des Bas-Sablons ?

Morgane acquiesça. Ce n'était pas loin et elle ne serait guère fréquentée en cette saison. Surtout, elles n'y croiseraient personne du collège.

Elles remontèrent sans un mot vers le centre-ville, dépassèrent la mairie – un grand bâtiment de brique rouge –, longèrent le théâtre et redescendirent de l'autre côté vers une petite plage au pied des maisons où nul ne se baignait car elle était séparée de la mer par les pontons du port de plaisance et ses huiles de moteur. Au milieu de la digue, un bar. Les filles s'installèrent devant la terrasse, sur la volée de grosses marches qui descendaient vers la plage.

– Que disait le message que tu as reçu ? attaqua Izia, lissant sa courte jupe de velours prune sur ses collants.

– Timothée, ça t'évoque quelque chose ?

– Non.

Izia l'étudiait tranquillement, les paupières à demi refermées sur ses yeux noir d'encre. Morgane lui rendit son regard. Cette fille était bizarre. Elle avait une coiffure asymétrique bizarre, des yeux perçants bizarres, portait des vêtements bizarres, des bottillons de cuir bleu bizarres probablement chinés dans un vide-greniers, et... est-ce qu'il lui arrivait de sourire, parfois ?

– Toi aussi tu as reçu un message ?

– Pas vraiment. Juste un mail qui m'invitait à m'inscrire sur Facebook pour devenir « amie » avec Nathan, précisa-t-elle avec un air ironique. Tu ne m'as toujours pas dit ce qu'il y avait dans le tien.

– Tu ne m'as toujours pas dit pourquoi tu t'intéresses à tout ça.

Les yeux d'Izia s'étrécirent.

– Très bien, lança-t-elle, je te raconte ce que j'ai vu, toi ce qu'il y a dans ce message. Deal ?

– Deal.

– J'étais dans la rue du collège hier matin. J'ai été témoin de l'accident. Le chauffeur a accéléré avant de percuter Nathan, il l'avait calculé, et il a continué à accélérer.

– Tu veux dire que... commença Morgane incrédule... qu'il lui a foncé dessus volontairement ?

– Ça y ressemble.

Morgane secoua la tête de droite à gauche. Cette fille n'était pas bizarre, elle était folle.

– Je ne te crois pas. Pourquoi il aurait fait ça ? J'ai vu le type quand il est sorti de la voiture, il était... normal.

– Il *avait l'air* normal. Et « pourquoi », c'est précisément ce que je dois découvrir. Alors, ce message ?

– Je ne te crois pas.

– C'est ton problème. Donc ?

– Nathan... Nathan me disait d'aller quelque part pour trouver un certain Timothée et de « débrider » sa « boîte ». Et non, je n'ai aucune idée de ce que ça signifie.

– Quelque part ?
– Une clinique, en dehors de Saint-Malo.
Izia haussa les sourcils, surprise, mais ne fit pas de commentaire.
– Il a aussi précisé que si je débridais cette fameuse boîte, il pourrait me donner des réponses.
– Qui « il » ? Timothée ?
– Non. Lui. Nathan.
– Ah. Te donner des réponses à quoi ?
– Aucune idée.
Izia posa les coudes sur la marche supérieure et jeta discrètement un coup d'œil circulaire.
– Tu n'as jamais l'impression d'être observée ?
Morgane sourit. Depuis toujours, elle attirait les regards et s'y était habituée.
– À peu près tout le temps.
– Ce n'est pas ce que je veux dire, tiqua Izia.
Morgane lui adressa une moue interrogative.
– La fille avec les lunettes de soleil en terrasse. Le mec derrière toi, assis sur son scoot. Le père avec les deux petites filles, sur la plage.
– Eh bien ? Qu'est-ce qu'ils ont ?
– Ils sont arrivés à peu près en même temps que nous, et ils n'arrêtent pas de nous mater. L'autre croit être à l'abri derrière ses lunettes noires, mais elle a les yeux braqués sur nous.
– Qu'est-ce que tu en sais ?
– Je vois ses yeux.
– Derrière ses lunettes ?
– Oui.
– N'importe quoi.

– Tu ne me crois pas ?
– Non.
– Ça devient une habitude...
– Avoue que ça fait beaucoup à avaler.
Izia la considéra en silence, puis se leva d'un bond.
– Viens, lâcha-t-elle en remontant sur la digue.
Alors qu'elle ramassait son sac pour suivre Izia, Morgane se souvint brusquement de la première phrase du message de Nathan : *Tu es en danger*. Relevant la tête, elle aperçut l'homme de la terrasse qui appelait le barman pour payer sa consommation.
Un frisson glacé ondula sous sa peau.

12 h 30

Samuel

Samuel errait dans le centre commercial. Des musiques insipides se déversaient de chaque boutique et s'entremêlaient dans la galerie en une bouillie écœurante. Samuel les entendait à peine. Il avait passé la nuit dehors et s'était réfugié là au matin, une fois encore, comme un insecte attiré par les lumières. Sa mère devait être folle d'inquiétude. Bien fait, c'était sa faute, de toute manière.

Le soir où son père était mort, trois ans plus tôt, Samuel avait entendu ses parents se disputer dans le salon. Son père était parti en claquant la porte, avait pris la voiture, s'était planté dans un tournant.
Mort sur le coup.

Après le drame, Samuel avait harcelé sa mère pour connaître le sujet de la dispute. Les mois, puis les années, défilant sans qu'il obtienne de réponse, il avait enchaîné provocation sur provocation, connerie sur connerie, pensant que la colère viendrait à bout de son silence. La dernière en date : arrêter l'école en secret, alors que les études étaient si importantes pour sa mère. Il n'était pas retourné en cours depuis les vacances de Noël.

Au début, il s'était promené en ville mais, rapidement, c'était cette galerie commerciale qui avait abrité ses errances. Il avait essayé chacun de ses bancs, visité chaque boutique, parcouru chaque rayon, se cachant dès qu'il apercevait une silhouette familière. Deux mois durant, il avait zoné, observé les passants pour arrêter de penser. Il avait élevé la lose au rang d'art. Il avait tué le temps, comme on dit. Mais surtout, il l'avait perdu. Car quelles que soient les conneries qu'il inventait, sa mère ne lâchait rien, gardant pour elle son secret.

Samuel se doutait de la raison qui la poussait à se taire. Ce soir-là, il y a trois ans, elle avait dû faire quelque chose qui avait rendu son père furieux et elle n'osait pas l'avouer à Samuel parce qu'elle se sentait coupable. Ça ne pouvait être que cela, sinon pourquoi s'obstinerait-elle à ne rien dire ? Elle avait provoqué la mort de son père. C'était sa faute.

Sa faute.

Sa faute.

Les poings serrés au fond de sa veste en cuir, Samuel donna un coup de pied rageur dans un banc. Le vigile qui l'avait surveillé toute la matinée n'attendait que ça. Il se précipita dans sa direction, musculature de boxeur sous son costard cintré, gueule de bouledogue déformée par un rictus de plaisir sadique. Samuel s'élança à travers la galerie, bifurqua dans une allée transversale, passa les portes vitrées et se retrouva dehors sur le parking. Se retournant, il s'aperçut que le vigile ne l'avait pas pourchassé. Était-il trop insignifiant pour gaspiller de la sueur ?

Samuel serra les dents. Un jour, ils verraient, tous, s'il ne méritait pas qu'on le prenne au sérieux. Sitôt cette pensée formée, Samuel redressa la tête. Il avait quelque chose à faire, quelque chose qu'il repoussait depuis des mois.

Il traversa d'un pas désinvolte la zone commerciale déserte jusqu'au rond-point qui marquait la sortie de la ville et s'appuya nonchalamment à l'abribus, les poings serrés au fond des poches de la veste en cuir élimé héritée de son père.

Un car bleu et blanc approcha. Ce n'était pas le sien. Samuel baissa les yeux vers le bitume.

Soudain, un gros pneu entra dans son champ de vision. Il montait sur le trottoir et fonçait droit vers lui. Samuel recula d'un bond à l'intérieur de l'abribus. Le car racla la vitre qui explosa. Samuel se recroquevilla sous la pluie de verre, le visage caché dans les bras.

Un instant plus tard, un bruit de tôle plissée lui fit relever la tête. Le car avait continué sa course et venait de s'immobiliser sur le flanc dans le fossé du rond-point. Le cœur de Samuel battait à tout rompre. Il se redressa, tremblant.

– Achète-toi des yeux, connard ! cria-t-il pour évacuer sa peur.

Des voitures commencèrent à s'arrêter sur le bas-côté. Choqué, Samuel secoua ses cheveux bruns et sa veste pour se débarrasser des bris de verre. Ses jambes lui semblaient en coton. Il parcourut pourtant la trentaine de mètres qui le séparait du car et approcha son visage d'une vitre. À l'intérieur, personne. Même la place du chauffeur était vide.

– Qu'est-ce que c'est que ce bordel ? murmura-t-il tremblant.

– Quelqu'un a vu ce qui s'est passé ? s'inquiéta le conducteur d'une voiture.

– J'ai prévenu la police, dit un autre.

À ces mots, Samuel s'esquiva. L'adrénaline pulsait dans son sang et les battements confus de son cœur ne voulaient pas se calmer. S'il n'avait pas eu le réflexe de sauter en arrière, le car l'aurait percuté de plein fouet. Samuel n'avait aucune envie que les flics lui demandent pourquoi il n'était pas à l'école et appellent sa mère. Il avait décidé d'enquêter. Ce n'était pas un foutu car qui l'en empêcherait.

Il se rendrait à pied à la clinique.

12 h 47

Izia

Izia entraîna Morgane vers Intra-Muros, la partie fortifiée de Saint-Malo. Si le père de famille n'avait pas réagi à leur brusque départ de la plage, le garçon en scooter leur avait emboîté le pas – enfin, la roue. Elles longèrent à vive allure les imposants remparts de granit.

– Samuel Roux, se renseigna Morgane en jetant des coups d'œil furtifs autour d'elles, tu connais ?

– Celui qui est dans les amis Facebook de Nathan ?

– Précisément.

Oui, Izia savait qui était Samuel : leurs mères étaient amies.

– Un quatrième. Il est arrivé dans notre collège l'an dernier. Pas vu depuis un moment.

Morgane plissa les paupières comme si elle essayait de mettre un visage sur le nom.

– Pas de ton monde, princesse, la découragea Izia avec un petit sourire en coin. Ma main à couper que tu ne lui as jamais adressé la parole.

Morgane ne répondit pas. Izia lui glissa un coup d'œil étonné. Cette fille parfaite n'avait pas l'habitude de se faire vanner, mais elle encaissait la pique avec un self-control qu'Izia n'aurait pas soupçonné.

Elles dépassèrent la grande porte et le château qui trônait à l'angle des remparts, ses drapeaux claquant au vent sous le soleil de midi.

– Morgane, pourquoi Nathan t'a-t-il ajoutée à sa liste d'amis ?

Morgane fit la moue.

– Je ne sais pas.

La commissure des lèvres d'Izia se releva en un demi-sourire.

– Tu penses qu'il avait craqué sur toi.

– Ce ne serait pas la première fois... admit Morgane avec un haussement d'épaules.

Sans prévenir, Izia éclata d'un rire clair. Non, ce ne serait pas la première fois qu'un garçon craquait pour Morgane, et sûrement pas la dernière. Pourtant Izia ne croyait pas à cette hypothèse. Nathan détestait se faire remarquer. Convoiter la fille la plus admirée du collège équivalait à ruiner la relative tranquillité qu'il avait bâtie avec tant de soin. Il y avait forcément une autre raison. Pourquoi avoir contacté Morgane ? Et pourquoi ce crétin de Samuel ? Et pourquoi elle ? Les questions tournaient dans son esprit depuis la veille, et Izia en découvrait de nouvelles à chaque pas. Qui était ce Timothée dont parlait le message envoyé à Morgane ? Un message dont l'identité de l'expéditeur offrait une énigme de plus... Et pourquoi, POURQUOI étaient-elles suivies ?

– Où est-ce que tu m'emmènes ? demanda Morgane alors qu'elles dépassaient le casino et s'engageaient sur la chaussée du Sillon, le front de mer où Izia avait erré plusieurs heures la veille.

Izia attrapa son bras et se planta devant la vitrine d'un surf shop.

Morgane observa sans comprendre les planches colorées qui s'étalaient à l'intérieur. Soudain, elle eut un léger mouvement de recul.

– Tu me crois maintenant ?

Le reflet dans la vitrine révélait la présence non seulement du garçon en scooter qui renouait son lacet à une vingtaine de mètres, mais aussi de la femme aux lunettes de soleil, adossée à la façade sur le trottoir d'en face.

– Et devine qui est dans la voiture grise qui arrivera à notre niveau dans trois secondes ? ironisa Izia.

13 heures

Morgane

À la place conducteur, Izia reconnut avec frayeur l'homme qui jouait avec ses enfants sur la plage.

– Pour... pourquoi on nous suivrait ? bégaya-t-elle.

– Excellente question, Watson. En voilà une autre : et si on se tirait d'ici ?

Izia lui attrapa le bras et l'entraîna en courant sur le trottoir. Le moteur du scooter redémarra au quart de tour dans leur dos. L'esprit de Morgane était si embrouillé qu'elle fut reconnaissante à Izia de prendre l'initiative de leur itinéraire. Elles enfilèrent des petites rues, se cachèrent sous un porche, puis descendirent sur la grande plage pour longer la digue sans être vues depuis la rue. Le sable meuble entravait leur course.

Les poumons en feu, elles continuèrent pourtant à avancer le long des brise-lames aux silhouettes torturées.

– Izia, cria Morgane sans ralentir l'allure, il faut qu'on prévienne la police ! Je connais quelqu'un, Marc, un ami de mon père...

– On l'appellera. Quand on en saura plus. Le message indiquait que tu aurais des réponses à tes questions en allant à la clinique, n'est-ce pas ?

– Oui, c'est vrai... Mais à ce moment-là je n'en avais pas autant... et personne ne me suivait comme ça dans la rue.

– Tu *ignorais* qu'on te suivait, nuance. On doit trouver ce Timothée, Morgane, et débrider cette « boîte ».

Morgane s'arrêta net, visage blême, front plissé. Une phrase venait de surgir de sa mémoire, une phrase qu'elle avait entendue la veille et qui disait : *Timothée, qu'est-ce que tu fais hors de ta chambre ?*

– Qu'est-ce qui t'arrive ? fit Izia en revenant vers elle. Morgane ?

Celle-ci secoua lentement la tête. Elle détenait une clef de l'énigme depuis le début, et elle ne s'en apercevait que maintenant. Ce garçon qu'elle avait percuté dans le couloir de la clinique alors qu'elle était en retard pour le collège, cheveux bruns, yeux vert d'eau... C'était Timothée.

– Connecter la boîte... murmura-t-elle. Son cousin...

– Pardon ?

Les yeux bleus de Morgane semblèrent réintégrer le présent et se plantèrent dans ceux d'Izia.

– J'ai croisé Timothée, je connais l'emplacement de sa chambre.

Izia marqua un temps d'arrêt, pencha la tête sur le côté, haussa un sourcil.

– Très bien, dit-elle finalement en observant les alentours. Allons-y.

Elle se dirigea vers les escaliers à demi ensablés qui remontaient en haut de la digue.

– Quoi ! s'exclama Morgane, perturbée. Non... On... on doit retourner au collège.

– Tu ne crois pas qu'il y a plus urgent, princesse ?

– Je n'ai jamais...

– Tu n'as jamais séché les cours ?

Morgane se contenta de soutenir le regard abyssal d'Izia sans répondre.

– J'aime bien le collège, lâcha-t-elle finalement comme une excuse.

Izia continua de la dévisager.

– Évidemment.

– Évidemment ? s'agaça Morgane. Évidemment quoi ? Tu ne sais rien de moi.

– Je sais ce que je vois.

– C'est bien ce que je dis. Tu ne sais rien.

– Oh, tu vas me faire le coup du *Breakfast Club* ? ironisa Izia.

– Du quoi ?

– Tu vas m'expliquer à quel point il est difficile d'être la princesse du collège, comme il est dur d'être admirée et continuellement observée ?

– Tu aimerais être à ma place, peut-être ? répliqua Morgane piquée au vif.

– Pour rien au monde. Seulement, ta place, tu l'as choisie, alors ne viens pas te plaindre.

Mâchoires serrées, yeux tempête, Morgane se tut et remonta le col de sa veste comme pour s'isoler de la présence exaspérante d'Izia. Celle-ci ne lui laissa pas de trêve :

– Et elle est où, cette clinique ?

Convergence

14 h 05

E-Nathan

– Je suis désolé, lui répéta Timothée pour la centième fois de la journée.

– *Et moi donc, mec. Je suis mort, merde, j'arrive pas à m'y faire. Mais ce que je me demande, c'est pourquoi.*

– Je te l'ai dit, c'était un accident, un con de chauffard.

– …

– Nath ?

– *Oui ?*

– Je suis content de pouvoir encore te parler.

– *Moi aussi, mec, moi aussi.*

14 h 25

Izia

Izia descendit du bus et suivit Morgane le long de la route jusqu'à une imposante grille de fer forgé.

Levant les yeux, elle avisa les grandes lettres métalliques qui se profilaient sur un ciel de plus en plus couvert : « Les Cigognes ». Izia plissa le front, incrédule. À la création de la clinique, quelqu'un avait trouvé que ce nom était une bonne idée, quelqu'un l'avait choisi parmi une infinité de possibilités.

Plus niais, tu meurs…

Près de l'interphone, une caméra. Izia lui tourna instinctivement le dos et balaya les environs d'un œil perçant. Le bus n'avait pas mis plus de vingt minutes pour les amener jusqu'ici, mais elles étaient déjà au milieu de nulle part, dans la campagne. Un hameau se dressait entre les champs à deux cents mètres. La clinique, elle, était tout à fait isolée.

Morgane hésita à entrer, puis un masque résolu tomba sur ses traits. Elle franchit la grille. Izia lui emboîta le pas. Des pelouses ombragées semées de bancs s'étalaient de part et d'autre de l'allée sablonneuse. Izia s'était attendue à ce que l'intérieur soit désert comme les environs, aussi s'étonna-t-elle de la présence de jeunes enfants qui jouaient dans le parc sous les regards mielleux de leurs parents.

– Cette partie du parc est publique, lui expliqua Morgane, les familles qui visitent certains patients peuvent s'y promener avec eux.

– Certains patients ?

– Ceux du service de natalité et de procréation assistée. Et ceux qui ne sont pas trop fous.

Izia tourna une moue interrogative vers Morgane.

– Timothée est hospitalisé dans l'aile de psychiatrie, lâcha celle-ci d'une voix sourde.

Morgane paraissait très familière des lieux, mais n'avait manifestement pas envie d'expliquer pourquoi. Izia respecta son silence. Les fous ne l'effrayaient pas – après tout, la plupart des élèves du collège la traitaient de folle.

Un grand bâtiment de briques et de granit se dressait au bout de l'allée. Tandis que les filles se dirigeaient vers l'entrée principale, Izia remarqua d'autres bâtiments au fond du parc, avec une cour centrale protégée par des grilles.

– Fais-toi discrète, souffla Morgane en atteignant la volée de marches qui menaient à la porte d'entrée. Tu n'as aucune raison d'être ici.

Izia sourit. La discrétion n'était pas dans ses habitudes, mais avec Morgane pour acolyte, c'était facile. Elle baissa les yeux vers le sol, arrondit légèrement le dos et laissa Morgane briller pour se couler dans son ombre. Celle-ci, au contraire, capta d'un sourire l'intérêt des vigiles – armés, songea Izia en avisant une bosse sous leurs vestes bleu marine – qui la saluèrent avec empressement. Les femmes derrière le comptoir de l'accueil étaient occupées par un couple entre deux âges. Izia les surveilla du coin de l'œil alors qu'elles traversaient le hall, repérant sans y penser l'emplacement des caméras de sécurité. Les hôtesses ne leur accordèrent aucune attention.

Les filles gravirent l'escalier d'un pas mesuré alors que leur instinct les poussait à courir. Elles s'obligèrent à grimper tranquillement jusqu'à la dernière marche, à rester naturelles en s'engageant dans un couloir aux portes vertes, à ne pas se faire remarquer en dépassant la salle de repos des employés où discutaient des...

– Bonjour mademoiselle Fleury !

Une jeune infirmière, carré blond, yeux cernés, surgit devant elles. Le nez d'Izia replongea aussitôt vers le sol, abandonnant à Morgane la gestion de crise.

– Bonjour.

– Vous venez voir votre...

– C'est ça, la coupa précipitamment Morgane.

– Vous connaissez le chemin, plaisanta l'infirmière avec un grand sourire.

Elle s'écarta pour les laisser passer. Izia secoua la tête, amusée. Morgane était vraiment la couverture parfaite. Subjuguée par sa présence, l'infirmière avait à peine adressé un regard à Izia.

Les filles avancèrent dans le couloir jusqu'à ce que l'infirmière disparaisse dans la salle de repos, puis elles revinrent discrètement sur leurs pas. Morgane s'arrêta devant une porte d'un vert amande déprimant.

– Ici, murmura-t-elle.

14 h 29

Timothée

Lorsque deux inconnues surgirent dans sa chambre, Timothée sursauta, se réfugia sur son lit, dissimula la boîte sous ses draps. La surprise se changea vite en panique.

– N'aie pas peur, chuchota la fille rousse en refermant la porte derrière elle.

Les yeux de Timothée bondirent de la brune à la rousse.

– Vous n'avez rien à faire ici ! souffla-t-il, de plus en plus agité. Allez-vous-en...

Il se contenait pour ne pas paraître aussi terrifié qu'il l'était en réalité. Cette chambre était son nid, son cocon, elle le protégeait du contact d'inconnus et des intrusions mentales. Depuis des années, il n'y voyait que son médecin, une poignée d'infirmières, sa famille, et les personnages de papier des romans qu'il dévorait. Ces filles bouleversaient ses habitudes, son quotidien rassurant et méticuleusement réglé. Pire, elles ne savaient rien de sa maladie et risquaient de le toucher. Il s'apprêta à crier pour alerter le personnel de la clinique.

– On ne veut pas t'effrayer, répéta la rousse, on doit seulement te parler...

Timothée retint son cri. Quel chemin ses pensées avaient-elles emprunté pour contenir dans sa gorge cet appel qui brûlait de s'échapper ? Il était incapable de l'expliquer.

– Vous ne me faites pas peur, mentit Timothée, restez juste... loin de moi.

– OK. Pas de problème. On ne bouge pas, promis.

Timothée inspira lentement. Alors que les battements anarchiques de son cœur retrouvaient un rythme acceptable, ses yeux se fixèrent sur la fille rousse.

Il réalisa ce que la panique l'avait empêché de remarquer : il la connaissait. Il la connaissait même parfaitement.

Car elle l'avait touché.

14 h 32

Morgane

Le garçon semblait avoir retrouvé son calme. Il portait le même pyjama vert que la veille, celui des patients de la clinique. Morgane prit soin de ne pas s'approcher de lui. Les recommandations rabâchées depuis l'enfance se bousculaient dans sa tête : ne pas encourager la folie, rassurer, rassurer… Pourtant, ce qu'elle s'apprêtait à dire était si délirant qu'elle en fut troublée et resta silencieuse. Izia, elle, n'hésita pas.

– C'est Nathan qui nous envoie, lâcha-t-elle.

Timothée parut surpris, moins pourtant que ce que Morgane imaginait.

– Nathan est mort, dit-il sombrement.

Morgane opina.

– On a vu l'accident. Mais il m'a envoyé un message.

Timothée la dévisagea, deux rayons vert d'eau qui scannèrent longuement son visage. Ce regard était si intense que la jeune fille se sentit rougir. Elle se reprit aussitôt. Elle ? Rougir ? Et puis quoi encore ! Morgane releva le menton, se racla la gorge, croisa les bras sur sa veste. Elle précisa :

– Il m'a envoyé un message *après* sa mort.

– J'avais compris, répliqua Timothée.

Encore une fois, il n'était pas surpris. Il y avait donc une explication logique à ce message, pensa Morgane, et Timothée la connaissait. Enfin, les choses allaient rentrer dans l'ordre. Elle retrouverait ses amies, le collège, ses cours de danse, elle préparerait le concours du conservatoire régional...

Lentement, Timothée descendit du lit, déplia ses longues jambes, et même s'il maintint une bonne distance entre eux, ce rapprochement sonna comme une petite victoire dans l'esprit de Morgane. Il avait vraiment un visage étrange, plein d'angles et de creux, d'un blanc laiteux qui faisait ressortir ses grands yeux verts.

– Le message évoquait une boîte, dit-elle. J'ai pensé que c'était peut-être celle que tu portais quand on s'est croisés hier... Tu comprends de quoi je parle ?

Timothée lui opposa un silence buté.

– Bien sûr qu'il comprend, affirma Izia, les yeux fixés sur le lit.

Morgane suivit son regard. Sous les draps, une forme rectangulaire. Timothée jeta aux filles un coup d'œil agacé. Finalement, il tira sur le drap et prit délicatement l'objet entre ses mains.

Morgane sentit son cœur accélérer. Ce truc noir épais comme un gros livre allait lui fournir des réponses pour stopper net le cauchemar commencé la veille. Ces dernières heures, elle vivait la vie d'une autre, une vie qu'elle n'aimait pas du tout. Elle voulait retrouver la sienne.

– Qu'est-ce que c'est ? demanda Izia.

Timothée tenait la boîte comme s'il n'avait jamais rien possédé de plus précieux.

– Nathan... Nathan l'a fabriquée pour moi. Pour que je puisse discuter avec lui, même quand il ne se trouvait pas derrière son ordinateur.

– Un genre de... téléphone ?

– Pas vraiment. Au téléphone, l'interlocuteur est à l'autre bout du fil.

– OK, fit Morgane, mais si ce truc n'appelle personne, avec qui tu communiques ?

Timothée soupira comme s'il ignorait par où commencer, passa une main dans sa tignasse châtaine, fixa l'écran sur le dessus de la boîte.

– Nathan l'appelait sa personnalité virtuelle, dit-il doucement. Elle parle comme lui, réagit comme lui, possède les mêmes connaissances et les mêmes souvenirs que lui, mais quand j'échange avec cet objet, ce n'est pas à Nathan que je parle. Tout ce que je sais, c'est qu'il se servait de Facebook pour la mettre à jour : il utilisait son profil comme un journal intime.

– Son profil Facebook ? s'étonna Izia. Il est complètement vide.

– Non. C'est juste que tu ne vois pas ce qu'il poste. Quand tu publies quelque chose, tu peux choisir que seuls quelques amis puissent lire ton post...

Izia leva les yeux au ciel comme si on lui parlait chinois.

– Oui, ça se paramètre, confirma Morgane.

– Ce que Nathan écrivait, continua Timothée, personne n'y avait accès sauf lui. Et chaque fois que je connectais la boîte à Internet, elle téléchargeait le contenu du profil pour actualiser sa personnalité virtuelle.

– Comme une... intelligence artificielle ? tenta Izia. Updatée par les infos qu'il laisse sur Facebook ?

– Quelque chose comme ça, oui.

– Elle fonctionne encore ?

– Oui. Je vous l'ai dit, elle est complètement autonome, ce n'est pas Nathan qui discute avec moi, même si l'illusion est parfaite.

– Et la dernière fois que tu l'as connectée, c'était ?

Morgane se tendit imperceptiblement vers l'avant, suspendue aux lèvres de Timothée. Celui-ci ouvrit la bouche puis la referma aussitôt, sourcils froncés, yeux perdus sur le sol. Soudain, il releva la tête, visiblement chamboulé.

– La veille de sa mort, articula-t-il lentement. Je l'ai allumée tout à l'heure, l'IA sait que son créateur est mort. Mais je ne l'ai pas connectée à Internet – je voulais, hier matin, et comme je suis tombé sur toi, Morgane, j'ai battu en retraite dans ma chambre.

Silence. Une fois de plus, ce fut Izia qui énonça tout haut ce que les autres pensaient tout bas :

– Nathan a peut-être posté des informations sur Facebook que tu n'as jamais récupérées. Des infos qui expliqueraient ses bizarres messages post-mortem... et qui nous aideraient à comprendre pourquoi on l'a tué.

Timothée sursauta.
– Tué ? Comment ça tué ?

14 h 56

Timothée

Morgane écarquilla les yeux, attrapa le bras d'Izia.
– Bien joué, siffla-t-elle, quel tact ! Et puis d'abord tu n'en sais rien.
– Désolée, fit la brune en haussant les épaules.
Elle se retourna vers Timothée :
– Au fait, je suis Izia. Elle, c'est Morgane.
Abasourdi, Timothée ne répondit pas tout de suite. Le sang battait furieusement à ses tempes. Nathan était mort, cela lui broyait le cœur, pourtant il avait admis cette réalité. Mais... tué ? Cela n'avait aucun sens.
– En... enchanté... lâcha-t-il enfin. Par « tué », tu voulais dire... ?
– Elle pense que Nathan a été assassiné, expliqua Morgane l'air agacée, que la voiture lui a foncé dessus de manière délibérée. Je n'y crois pas, ajouta-t-elle avec un coup d'œil entendu à Izia.
– Je l'ai vu, asséna celle-ci d'une voix sourde.
Timothée était hypersensible aux émotions des autres et, à ce moment précis, Izia dégageait un étrange mélange de révolte et de détermination. Elle croyait à ce qu'elle disait. Avait-elle raison pour autant ? Il tenait dans ses mains le moyen de le découvrir.

Morgane le tira de ses pensées :

– Dans son message, Nathan voulait qu'on débride cette boîte. Ça te parle ?

– Absolument pas.

– Et si on lui demandait ce que ça signifie ? intervint Izia.

– Demander à qui ?

– La boîte. L'IA. Tu as dit qu'elle fonctionnait encore.

– Oh.

Timothée hésita. Cette fille avait une logique bien à elle, mais ce qu'elle suggérait n'était pas si absurde. Nathan avait conçu la boîte. Si la débrider était possible, il devait en avoir informé sa personnalité virtuelle. Pourtant, avant ce jour, Timothée n'avait jamais fait la distinction entre son cousin et la boîte, ils étaient pour lui la même entité et devoir les séparer mentalement aujourd'hui le perturbait. Et puis l'idée de parler avec son confident devant ces inconnues le rebutait. C'était un morceau de son intimité, c'était à lui, juste à lui.

– Tu as une autre idée ? insista Izia.

– Non.

– Alors qu'est-ce que tu attends ?

Avec un soupir résigné, Timothée bascula l'interrupteur sur « on ».

– *Hello, Tim !*

– Hello Nath, répondit Timothée. J'ai une question à te poser : as-tu envoyé hier un message à Morgane, une fille rousse, pour qu'elle me rejoigne à la clinique ?

– Je ne vois pas comment j'aurais pu. Je n'ai pas accès à Internet tant que tu ne m'y branches pas.

– Bon... L'expéditeur de ce message aurait parlé de te débrider. As-tu une idée de ce que ça veut dire ?

– Bien sûr.

Timothée attendit la suite... qui ne vint pas.

– Et aurais-tu l'obligeance de nous expliquer ? s'amusa Izia.

– Qui parle ?

– On ne reconnaît plus ses amis ?

– Amis ? J'ai peu d'amis.

– Raison de plus pour les reconnaître, freaky boy.

E-Nathan laissa échapper un curieux grésillement qui ressemblait vaguement à un éclat de rire.

– Izia.

– Gagné.

– Désolé, freaky girl, je ne suis pas capable de reconnaître les voix que je n'ai jamais entendues par ce micro.

Timothée écouta l'échange avec des sentiments contradictoires. Izia, même si elle le cachait par ses plaisanteries, était émue d'échanger avec E-Nathan. Cette joie remplissait toute la chambre, et Timothée ne pouvait que la partager. Mais il se sentait aussi exclu et amer. Jamais Nathan ne lui avait parlé d'Izia. Timothée ne connaissait pas son cousin aussi bien qu'il le croyait.

Relevant la tête, il s'aperçut qu'Izia avait machinalement avancé vers lui en parlant. Une transpiration glacée suinta dans son dos. Pourquoi avait-il accepté la présence de ces filles dans sa chambre ? Malgré sa vigilance, cela se concluait toujours ainsi. Les gens se rapprochaient, plaisantaient et ils finissaient par le toucher par inadvertance, négligeant leurs promesses. Pour eux, ce n'était rien, ils ne comprenaient pas, ils ne pouvaient pas concevoir la rivière de douleur qui se précipitait en lui à leur contact.

Soudain, Morgane attrapa le poignet d'Izia et la tira en arrière. Timothée expira, soulagé. Il adressa un regard reconnaissant à Morgane.

– *Qu'est-ce que tu fais là, Iz' ?*

– C'est justement ce qu'on essaye d'éclaircir, freak. Te débrider, ça veut dire quoi ?

– *Pour l'instant, je suis... bridé. Nathan m'avait programmé pour évoluer en fonction de mes conversations avec Timothée et grâce aux informations qu'il me fournissait lui-même – articles scientifiques ou bribes de sa vie... Il voulait que je lui ressemble. Si quelqu'un me débride, je deviendrai indépendant, capable d'aller chercher les informations où bon me semble, sur Internet ou dans les ordinateurs auxquels on me connectera.*

– Ça signifie que tu t'éloignerais de Nathan ? demanda Timothée avec un pincement au cœur.

– Probablement. Je continuerais à lui correspondre – il m'a créé, j'ai la même logique que lui – mais je serais libre de... différer. De ne plus être sa copie conforme. D'apprendre des choses qu'il ignorait.

Des pas retentirent sur le carrelage du couloir. Ils s'immobilisèrent, retenant leurs souffles. Bruit de porte qu'on ouvre et qu'on referme. Voix lointaines, trop étouffées pour être menaçantes.

– Et comment on te débride ? chuchota aussitôt Morgane avec espoir.

– *Une commande verbale suffit.*

– ... c'est-à-dire ?

– *Si Timothée me l'ordonne, je me débride.*

Morgane lui tendit un visage si pressant que Timothée détourna les yeux. Débrider cette boîte, donner la possibilité à l'intelligence artificielle d'évoluer par elle-même, c'était tuer son cousin pour de bon. C'était accepter de le laisser disparaître. Des larmes escaladèrent sa gorge. Il les repoussa, leva la tête, croisa le regard d'Izia. Dans ses yeux sombres, il lut un besoin identique au sien : celui de savoir ce qui était arrivé à Nathan.

Et pour y parvenir, ils n'avaient pas cinquante solutions...

– Débride-toi, lâcha-t-il d'une voix fêlée par l'émotion.

15 h 22

Izia

Un bip.

Silence.

Dans la chambre, les trois adolescents fixaient la boîte. Izia fronça les sourcils, inquiète.

– Nath ? murmura Timothée.

– *Toujours là, mec.*

Izia respira. Cette voix électronique ne ressemblait pas vraiment à celle de Nathan. Pourtant, elle avait les mêmes inflexions, utilisait les mêmes expressions… C'était déroutant. Izia savait que Nathan était mort, mais croire qu'il était encore là, enfermé dans cette boîte, était terriblement tentant. Et réconfortant.

– Et, heu… ça va ? s'enquit-elle.

– *Au poil, Iz'. Vous m'avez débridé parce que Nathan est mort ?*

– On t'a débridé parce que Nathan s'est fait tuer… je pense, ajouta-t-elle avec un coup d'œil appuyé à Morgane.

– *Ah. Je me disais aussi.*

Izia sentit son cœur accélérer brusquement.

– Comment ça ?

– *Il était sur des recherches assez sensibles. À propos de cette clinique.*

– Cette clinique ? s'exclamèrent Morgane et Timothée d'une même voix.

– *Oui. Mais il ne m'a pas confié ce qu'il avait trouvé.*

– Il faut connecter cette boîte à Facebook, fit Morgane, l'air déterminée.

Elle a raison, pensa Izia. *Peut-être Nathan a-t-il laissé des infos sur son profil la veille de sa mort.*

Si c'était le cas, ils devaient les récupérer.

– D'habitude, tu la connectes où ? demanda-t-elle à Timothée.

– Sur l'ordinateur des infirmiers, au bout du couloir. Mais j'ai une meilleure idée. Cachez-vous sous mon lit.

Izia le dévisagea, amusée.

– Tu as des fantasmes bizarres.

Timothée rougit et marmonna quelques mots qui se terminaient par :

– ... juste appeler une infirmière.

– Deux filles sous ton lit et une infirmière en prime ! le taquina Izia. Eh ben mon grand...

– Izia, arrête ! fit Morgane sèchement en l'entraînant sous le lit.

Izia se laissa faire, non sans adresser un sourire ironique à Timothée. Celui-ci évita son regard, s'éloigna vers la fenêtre pour ne pas les croiser, puis il revint tirer le drap jusqu'au sol.

Izia se sentait d'humeur joyeuse. Elle aimait l'aventure, l'inattendu, les situations improbables. D'habitude, elle se contentait de petites choses – le bruissement d'une rafale soudaine dans les branches d'un arbre, une vague un peu violente sautant par-dessus la digue pour éclabousser les passants, ou l'humiliation cinglante d'un crétin du collège par un élève un peu moins mouton que les autres. Mais aujourd'hui, son penchant pour l'imprévu était servi ! Elle tourna la tête vers Morgane.

– Si on t'avait dit il y a trois jours que tu te retrouverais planquée sous un lit d'hôpital avec moi...

– Taisez-vous, grogna Timothée. Quelqu'un arrive.

15 h 31

Marc Loizeau

L'interphone grésilla sur le bureau. Le capitaine ouvrit d'une pression le canal de communication.

– Des nouvelles ? demanda-t-il aussitôt.

– On n'a pas retrouvé les filles, chef. Évaporées.

Le capitaine jura.

– Samuel Roux ?

– Il traîne du côté des Cigognes. Fernandez le suit à distance.

– La clinique ? Qu'est-ce qu'il fout là-bas ?

– Aucune idée, chef. Une équipe inspecte le bus qui a foncé sur lui tout à l'heure, mais rien de neuf pour l'instant.

– Très bien. Prévenez-moi dès que vous avez du nouveau. Et localisez-moi les filles, bon sang ! Les adolescentes ne se volatilisent pas, Manuel, c'est contraire aux lois de la physique !

– On est sur le coup, chef.

– Eh Manuel...

– Oui ?

Marc Loizeau hésita.

– Vous n'êtes peut-être pas les seuls à chercher ces gamins. Je sais que ce que je vous demande est bizarre, mais... évitez d'agir comme des flics.

Il coupa la communication sans attendre de réponse, passa une main nerveuse sur son visage. La situation était en train de lui échapper. C'était souvent le cas lorsqu'on jouait sur plusieurs tableaux en même temps. Il devait demander des renforts.

Mais d'abord...

Le capitaine ouvrit le tiroir de son bureau, sortit un téléphone portable, inséra une carte SIM neuve, puis composa un numéro. Quelqu'un décrocha. Une respiration se fit entendre.

– C'était vous, le bus ? questionna Marc Loizeau.

– C'était nous.

Le capitaine inspira longuement, ferma les yeux, les rouvrit.

– J'ai besoin d'informations. Je ne peux pas vous couvrir efficacement sans connaître vos objectifs.

15 h 37

Samuel

Samuel longeait le mur d'enceinte du parc de la clinique, cherchant un endroit facile à escalader. Pour ce qu'il venait faire, l'entrée principale était exclue. Il repéra enfin un pan de mur ancien où les jointures des pierres étaient plus profondes, offrant des prises évidentes. Un instant plus tard, il atterrissait souplement sur la terre meuble du parc, derrière un bosquet.

Il se redressa, balaya les alentours du regard. Ses yeux se fixèrent sur l'ensemble de bâtiments en brique rouge qu'il apercevait entre les branches de l'autre côté des pelouses.

C'est là. Là que je suis né. Là que j'ai été conçu.

Si ses parents avaient eu recours à la procréation assistée, c'était parce que son père était stérile, probablement à cause d'un virus qu'il avait contracté enfant. Cela n'avait jamais été un tabou dans la famille. Dès que Samuel avait été en âge de comprendre, vers six ans, ses parents lui avaient expliqué comment il était né.

Plusieurs années plus tard, Samuel était rentré de l'école un soir la tête pleine de questions à propos de son identité, et il avait interrogé sa mère. Il était né grâce à un don de gamète, lui avait répété celle-ci. Autrement dit, il était biologiquement le fils de sa mère et d'un autre homme – dont elle ne connaissait pas l'identité car le don était anonyme, avait-elle précisé.

Le soir, quand son père était rentré à la maison, il était passé dans la chambre de son fils pour lui souhaiter une bonne nuit. Samuel s'en souvenait comme si c'était hier.

– Tu sais papa, avait-il dit, en fait, je m'en fiche, moi. Ça change rien.

– De quoi tu parles, Sammy ?

– Que t'es pas mon vrai père, tout ça. On s'en fiche. Pour moi, t'es vraiment mon père.

Son père s'était tu pendant plusieurs secondes, les yeux brillants dans l'obscurité de la chambre. Puis il avait souri, un sourire ému et un peu triste.

– Bonne nuit Sammy, avait-il murmuré avant de quitter la pièce.

Après ça, ils n'en avaient plus jamais reparlé. Samuel n'en éprouvait pas le besoin. Il ne portait pas ses gènes, mais cet homme l'avait élevé, il avait été près de lui depuis sa naissance, il l'avait porté sur ses épaules, bordé, soigné. Cet homme était son père, et Samuel était son fils, point final.

Point final, oui, sauf que leur relation avait changé ce jour-là. C'était comme si, auparavant, son père avait oublié qu'il ne lui avait pas donné la vie, et que Samuel le lui avait soudainement rappelé. Il avait commencé à rentrer plus tard le soir et il se mettait facilement en colère.

Point final, oui, sauf que sa mort deux ans plus tard avait remis en cause pas mal de certitudes. Quelque part dans le monde, marchait l'homme qui lui avait donné la vie. L'autre. L'inconnu. Bien vivant. Et si celui-ci ne remplacerait jamais le défunt, Samuel avait un désir de plus en plus pressant de savoir qui était son père biologique. Il ne voulait pas lui parler. Juste *savoir*.

C'était pour cette raison que Samuel se tenait au pied de ce mur, caché par les arbres, à observer le bâtiment principal de la clinique des Cigognes. Pourtant, il était incapable de faire le moindre pas en avant. Une boule dans sa gorge. Un poids dans son ventre. La sensation poisseuse qu'en cherchant l'identité de son père biologique, il était en train de trahir l'homme qui l'avait élevé.

Au bout de plusieurs minutes, il prit une longue inspiration et s'engagea sous le couvert des arbres.

– Je dois le faire, murmura-t-il. Désolé, papa.

15 h 40

Timothée

En attendant que l'infirmière revienne lui apporter l'ordinateur portable que les patients pouvaient emprunter, Timothée resta figé au centre de la chambre. S'il reculait, il se rapprocherait des filles qui murmuraient sous le lit. S'il avançait, il serait trop proche de la porte quand l'infirmière reviendrait. Il était cerné. Il avait laissé l'extérieur envahir son nid. Tendu, Timothée inspira profondément pour se calmer, mais ses pensées le ramenaient aux intruses avec obstination. Des pensées sacrément emmêlées.

Il voulait qu'elles s'en aillent.

Il voulait qu'elles restent pour toujours.

Il voulait qu'elles se taisent.

Il voulait qu'elles l'abreuvent de paroles.

Il voulait...

Non.

Soupir.

Timothée ne s'était pas retrouvé face à des gens de son âge depuis près de quatre ans – excepté son cousin. Bien sûr, il avait des amis virtuels avec qui il discutait sur Internet et jouait en réseau. Des garçons, tous des garçons. Les filles... il y avait bien ses cousines, mais elles étaient plus jeunes et n'étaient pas venues le voir depuis des années.

Merde ! songea-t-il. *Je ne connais rien aux filles ! Rien de rien !*

Évidemment, il rêvait de filles. Rêves endormis, rêves éveillés. Fantasmes qui le tenaient en haleine des heures durant. Mais contrairement aux garçons de son âge, Timothée savait que ce qu'il imaginait ne se réaliserait jamais, parce que si le contact de leur peau était doux dans ses rêves, il était un supplice dans la réalité. C'est pour cette raison que les plaisanteries d'Izia le mettaient si mal à l'aise. Elle parlait de situations dont il avait envie mais qui lui seraient toujours interdites.

Des pas dans le couloir, deux coups sur la porte, la poignée qui s'abaisse. L'infirmière passa la tête dans l'embrasure.

– Je te le pose où ? lança-t-elle en brandissant le notebook.

Comme d'habitude, Timothée resta en retrait, se contentant de désigner la table métallique à roulettes qui lui servait à prendre ses repas. L'infirmière déposa l'ordinateur et repartit.

Lorsque les pas s'éloignèrent, Timothée entendit les filles sortir de leur cachette. Il fuit vers la porte, prit l'ordinateur, s'assura que le wifi fonctionnait. Un instant plus tard, il y branchait la boîte.

– *Voyons ça !* lança joyeusement E-Nathan.

La boîte émit quelques bips discrets.

– *Les dernières infos que Nathan a mises en ligne à mon attention datent effectivement de la veille de sa mort. Il indique qu'il a trouvé à quoi correspondait la liste.*

– Quelle liste ? demanda Izia en s'approchant dangereusement.

– *La liste de noms.*

– Quels noms ?

– *Samuel Roux, Nathan Valentin, Izia Faure, Morgane Fleury, Timothée Maclum*, récita E-Nathan.

– Rien que ça, souffla Izia. Et c'est quoi cette liste ?

– *Le nom des premiers sujets sur lesquels les expérimentations ont réussi. Et ne me demande pas de quelles expérimentations il s'agit, Iz', ce n'est pas précisé.*

Sujets d'expérimentations. Les mots pénétrèrent l'esprit de Timothée et explosèrent en dizaines de petites déflagrations aveuglantes qui lui coupèrent le souffle. Il sentit ses jambes se dérober, s'appuya contre la porte, désorienté.

– *Si seulement j'avais accès à son ordinateur,* reprit E-Nathan, *je suis sûr qu'il y a conservé des documents qui m'aideraient à y voir plus clair... Oh merde !*

– Quoi ? lâcha précipitamment Izia.

– *La dernière chose que Nathan a écrite avant sa mort, c'est : « Pas le temps de tout résumer, l'urgence est de SORTIR TIM DE CETTE FOUTUE CLINIQUE ! » En majuscules et souligné.*

Le cœur de Timothée exécuta un nouveau bond. Sortir d'ici ? Non, c'était impossible ! Il avait déjà du mal à quitter cette chambre, alors quitter la clinique ! Le monde extérieur n'était pas pour lui et ne le serait jamais. Il ne pouvait pas, il ne pouvait simplement pas...

Terrifié, Timothée releva la tête. Les filles le dévisageaient. Morgane semblait peinée pour lui. Izia, indéchiffrable, le fixait de ses yeux sombres.

– Nathan n'a pas écrit cet avertissement à la légère, dit-elle à mi-voix. Il est mort quelques minutes plus tard. Je ne crois pas au hasard.

Timothée déglutit.

Nath, Nath, pourquoi est-ce que tu me fais ça, pourquoi ?

Mais malgré la peur qui lui dévorait le ventre, Timothée admit qu'Izia avait raison. Nathan savait que cette clinique était le seul refuge de son cousin. Il n'aurait pas écrit ces mots sans une bonne raison.

Une *très* bonne raison.

15 h 51

Morgane

Les noms des premiers sujets sur lesquels les expérimentations ont réussi. Qu'est-ce que ça signifiait ?

– Question débile, fit Morgane en levant un doigt comme si elle était en cours. Vous ne seriez pas nés dans cette clinique, par hasard ? Parce que moi, si... Grâce à une fécondation in vitro.

E-Nathan coupa court :

– *Vous êtes tous nés ici, et vos parents ont suivi un programme d'aide médicalisée à la procréation.*

– Même Nathan ? s'étonna Izia. Je veux dire, vu le nombre de frères et sœurs qu'il a, je ne pensais pas que ses parents avaient eu du mal à...

– *Même Nathan. Ils ont eu besoin d'aide pour le concevoir, mais cette première grossesse a modifié le métabolisme de sa mère, et elle est retombée enceinte facilement par la suite.*

Morgane eut une moue perplexe. Les conclusions qui s'offraient à elle étaient trop perturbantes pour qu'elle les prenne en compte. Elle les rejeta d'office.

– *Les auteurs de ces expériences travaillent toujours ici, ils savent peut-être que vous êtes dans cette chambre. Ils ne doivent pas vous voir sortir.*

– Il y a des caméras partout, fit Izia, je les ai aperçues dans le hall, et les gardes…

– *Il y en a beaucoup, pas partout. Je dois rester connecté à cet ordinateur pour vous aider. Morgane est la seule à pouvoir traverser le hall sans paraître suspecte. Elle restera avec moi et sortira la dernière.*

Morgane jeta un coup d'œil à Izia et Timothée. Aucun ne paraissait surpris. Évidemment. Timothée avait déjà croisé Morgane ici, et Izia avait constaté que le personnel de la clinique la connaissait. Son secret commençait à être trop émoussé pour mériter ce nom. Merde, merde, merde ! Morgane avait passé des années à bâtir une muraille au milieu de sa vie : d'un côté, sa mère, de l'autre, tout le reste. Cette défense s'écroulait, et elle essayait désespérément de garder quelques pierres en place. Mais chaque découverte les descellait une à une.

Le plan en 3D de la clinique apparut sur l'écran de l'ordinateur, et se mit à tourner en suivant les explications que donnait E-Nathan.

– *Nous sommes au premier étage. Impossible de repasser par le hall, trop de caméras. Il faut emprunter l'escalier de secours. Une fois au rez-de-chaussée, à droite de l'escalier, ouvrez la porte qui communique avec l'aile du service de natalité.*

– Elle doit être verrouillée, observa Izia.

– *Je gère ça. Vous franchissez la porte. De l'autre côté, il y a un couloir avec des salles de consultations. Trouvez-en une vide. Contrairement à celles de psychiatrie, les fenêtres du service de natalité n'ont pas de barreaux, vous pourrez sortir sans trop de problèmes. Une fois dans le parc, rejoignez les arbres le plus vite possible et filez sans exposer vos visages à la caméra de la grille. Morgane vous rejoindra dès que possible. Le prochain bus est dans vingt-cinq minutes.*

Un court silence tomba sur la chambre. Rester cachée ici convenait très bien à Morgane. Il suffisait qu'elle plonge sous le lit à la moindre alerte.

– Ça ressemble à un plan, fit Izia avec un petit sourire amusé. Mais il fonctionnera sûrement mieux si Timothée porte autre chose qu'un pyjama.

Celui-ci se détourna pour ouvrir un placard. Les étagères étaient presque vides. Il attrapa un jean large, une chemise noire et un sweat à capuche bordeaux, puis lança aux filles un regard qui leur intimait de se retourner. Pourtant, en entendant le froissement du tissu, Morgane ne put résister. Elle jeta un œil en arrière. Peau pâle, torse long et fin, épaules plus larges que la jeune fille les avait imaginées lorsque Timothée flottait dans son pyjama. Ses yeux s'attardèrent une seconde sur sa nuque.

Elle était épaisse, comme s'il ne réussissait jamais à détendre ces muscles. Morgane se détourna juste avant qu'il baisse son pantalon... et croisa le sourire ironique d'Izia qui chantonna d'un air innocent une chanson des Ramones :

– *Hey, little girl*
I wanna be your boyfriend
Sweet little girl
I wanna be your boyfriend...

– Prêt, fit Timothée.

Morgane se retourna. Vêtu comme ça, il ressemblait à n'importe quel collégien. Seule la peur dans ses yeux contrastait avec l'assurance qu'il essayait d'afficher.

– *Nathan a craqué l'intranet de cette clinique*, dit l'IA. *Il m'a donné les codes pour m'y connecter.*

Morgane avisa l'écran de l'ordinateur. Il affichait simultanément plusieurs vidéos noir et blanc. Les caméras de sécurité, devina-t-elle, impressionnée. Elle détailla le bloc de plastique posé à côté de l'ordinateur. Cette « boîte », malgré son apparence grossière, recelait un véritable trésor, et celui qui l'avait conçue était un génie. Elle regretta de ne jamais avoir accordé la moindre attention à Nathan. Il était une ombre du collège, un loser discret, pensait-elle. Si elle avait su... bah, si elle avait su, cela n'aurait probablement rien changé. Les génies sont rarement populaires.

– *Vous avez combien de téléphones ?*

– J'ai le mien, répondit Morgane en sortant son smartphone.

Izia farfouilla dans la poche avant de son sac à dos et exhiba un vieux Nokia avec antenne externe. Morgane lui lança un regard dubitatif auquel Izia répondit par un laconique :

– Il fonctionne.

– Si tu l'dis...

16 h 03

Samuel

Dissimulé derrière des arbustes, Samuel cherchait le moyen de s'introduire dans le service de natalité. La clinique était plus fréquentée qu'il ne l'imaginait. Attendre la nuit ne servirait à rien : il serait aussi discret de jour en se mêlant aux allées et venues des patients et de leurs familles. Si on le surprenait dans un endroit réservé au personnel, il pourrait toujours prétendre qu'il s'était perdu. Le tout était de ne pas se faire pincer par la sécurité, car Samuel ne voulait pas que sa mère sache qu'il était venu ici. Ça ne la regardait pas. C'était sa vie à lui, son identité, son père.

Soudain, une fenêtre du rez-de-chaussée s'ouvrit. Une femme de ménage apparut dans l'encadrement et commença à nettoyer les carreaux. Quelques instants plus tard, elle disparut, laissant les battants entrouverts. Samuel avisa les buissons qui montaient le long de la façade. S'il se glissait derrière, personne ne le verrait enjamber l'appui de la fenêtre...

Saisissant sa chance au vol, Samuel sortit à découvert et traversa la pelouse du parc avec cet air nonchalant qu'il maîtrisait à la perfection.

Mais dans sa poitrine, son cœur bondissait comme un kangourou en colère.

16 h 05

Izia

Le couloir était désert. Izia et Timothée s'y faufilèrent discrètement. Tout au bout, une porte flanquée du pictogramme issue de secours. Ils la passèrent et descendirent.

– *Tout va bien ?* demanda la voix de Morgane au téléphone.

– Occupez-vous d'ouvrir la porte du rez-de-chaussée, et tout ira bien.

– *Work in progress*, fit E-Nathan. *Attendez un moment sur le palier intermédiaire que je vous donne le feu vert.*

Izia jeta un coup d'œil derrière elle. Timothée la suivait en gardant ses distances. Ils s'immobilisèrent à mi-étage.

– C'est quoi ton problème ? murmura Izia. Tu ne supportes pas d'être près de quelqu'un ?

– Je ne supporte pas d'être touché.

– Pourquoi ? Ça te fait peur ?

– Ça me fait mal.

– Oh… Mal comment ? Je veux dire, c'est physique ?

– Pas seulement. Sinon, je ne serais pas dans un service psychiatrique, hein ? fit Timothée avec un petit sourire fataliste.

Le même humour noir que Nathan, songea Izia.

– J'imagine. Et tu as ça depuis toujours ?

– Oui et non. Je ne me rendais pas compte. Dès que j'ai compris, ça a empiré.

Un bruit de pas en contrebas les interrompit. Izia se pencha discrètement. Une femme en blouse blanche surgit près de la porte qui séparait les deux services, la déverrouilla, l'ouvrit, et disparut.

– Go, lança Morgane.

– Comment vous avez fait ça ?

– *J'ai envoyé un message sur son bipeur pour l'appeler dans un autre service*, expliqua E-Nathan tandis qu'Izia et Timothée descendaient les dernières marches. *Avec un peu de chance, elle n'a pas reverrouillé derrière elle…*

Izia s'approcha de la porte, tendit la main, la laissa retomber contre sa cuisse.

– Elle n'avait pas besoin de reverrouiller, petit génie, il n'y a pas de poignée sur cette porte…

– *Ah. T'as une carte ? Carte bleue, carte de bus…*

– Yep.

– *Glisse-la dans la fente entre la porte et le chambranle. Attaque par en dessous et remonte vers la serrure.*

Izia sourit. Décidément, cette journée était bien plus drôle que la précédente. L'adrénaline lui donnait des ailes.

D'un œil, elle surveillait le couloir, de l'autre, elle se concentra sur sa tâche. Timothée, stressé, s'agitait à côté d'elle, et lorsque la porte se débloqua avec un cliquetis, il s'empressa de la suivre vers le service de natalité.

– On y est, murmura Izia en ramenant le téléphone contre son oreille.

– *Selon le planning de la clinique, la troisième pièce sur la gauche devrait être vide, mais vérifiez quand même...*

Izia posa son oreille contre la porte.

– Il n'y a personne, lui assura Timothée.

– On ne peut pas savoir.

– Si, il n'y a personne dedans.

Izia dévisagea un instant l'adolescent, étonnée qu'il semble soudain si sûr de lui, puis elle poussa la porte. Un bureau, des chaises, une table d'auscultation. La pièce était déserte.

Et une fenêtre entrouverte leur tendait les bras.

16 h 16

Timothée

– À toi l'honneur, fit Izia.

Timothée opina. Chaque fibre de son corps lui hurlait de rester à l'abri de ces murs. Mais il avait confiance en Nathan et avant de mourir, celui-ci lui avait intimé de sortir d'ici. Timothée s'approcha à regret de la fenêtre, l'ouvrit en grand, vérifia que personne dans le parc ne regardait dans sa direction, puis il posa les mains sur la pierre et se pencha pour évaluer où il allait atterrir. C'est alors qu'une tête inconnue surgit à quelques centimètres au-dessous de lui. Timothée se figea. Un éclair de surprise traversa le visage de l'autre garçon qui faillit basculer en arrière et s'accrocha in extremis au rebord de la fenêtre, effleurant au passage les doigts de Timothée.

Décharge électrique.

Douleur insoutenable.

Colère haine abandon colère.

Timothée bondit en arrière, les mains sur les tempes. Ce n'était pas sa propre colère qui tournait sous la voûte de son crâne, c'était celle de l'autre, ce garçon qui venait de sauter dans la pièce. Mais en un instant, elle avait colonisé son esprit, s'infiltrant partout, plantant ses aiguilles de détresse dans chaque strate de sa conscience.

Haletant, Timothée se mordit l'intérieur de la bouche pour ne pas hurler. Pourquoi ? Pourquoi les gens souffraient-ils autant ? Et pourquoi était-il aussi sensible à leurs humeurs, leurs blessures ? Il n'avait que faire de cette colère. Il voulait en purger ses pensées. Mais à présent qu'elle était entrée, il savait qu'elle continuerait longtemps de le hanter.

– Pour une surprise... lâcha Izia en direction du garçon.

Samuel, comprit Timothée, extirpant l'information du flot d'images qui avait envahi son cerveau. *Le* Samuel, celui qui se trouvait sur la liste de Nathan.

La douleur commença à refluer. Les yeux de Timothée passèrent de Samuel à Izia. Ils se connaissaient. Trop peu pour que la jeune fille soit présente dans les bribes de souvenirs que lui avait transmis Samuel en le touchant, mais c'était évident à la manière dont ils semblaient mécontents de se rencontrer.

Izia se tourna vers Timothée.

– Ça va ?

Il hocha la tête.

– T'es tout blanc.

– Il m'a touché.

– Je suis désolée.

– Quoi je l'ai touché ? s'agaça Samuel en jetant des regards nerveux vers la porte. Je l'ai même pas senti, j'ai pas pu lui faire mal. Et puis qu'est-ce que vous foutez là ?

– On ne touche pas Timothée, asséna Izia en évitant la dernière question.

Samuel adressa à l'intéressé un coup d'œil dubitatif et vaguement méprisant.

– T'as besoin d'une fille pour te défendre ?

Izia leva les yeux au ciel.

– XXIe siècle, bonjour ! À ta place je ne ferais pas le fier, parce que si je me souviens bien…

Elle s'apprêtait à lancer une pique lorsque Timothée se redressa et planta ses yeux dans ceux de Samuel. Vert limpide sur ambre orage.

– Je n'ai pas besoin de me défendre contre toi, articula difficilement Timothée.

– Ah ouais ? Pourtant tu verrais ta gueule...
– Non, parce que tu viens avec nous.
Un air incrédule passa sur le visage de Samuel.
– Mais bien sûr, lâcha-t-il finalement en avançant vers la porte. Dégage, j'ai pas que ça à foutre.
Timothée ne s'écarta pas. Il connaissait désormais l'histoire de Samuel. Il pouvait l'immobiliser d'un seul mot.
– Ton père. Tu es venu ici pour savoir qui il est.

16 h 20

Samuel

Samuel s'arrêta net et leva à nouveau les yeux vers l'adolescent au visage livide qui lui faisait face. Qui était ce type ? Comment savait-il ? Timothée, c'était comme ça que l'avait appelé cette tarée d'Izia. Ce prénom ne lui évoquait rien.
– On est justement sur une piste, lança le garçon qui reprenait quelques couleurs.
– Sur une piste ? répéta Samuel incrédule. Pour mon père ?
– Possible. Quelque chose à propos de nous en tout cas.
Nous. Samuel sentit que Timothée venait de l'englober dans ce mot, et cela ne lui plut pas du tout.
– Nous qui ? J'ai rien à voir avec elle, cracha-t-il en direction d'Izia. Eh ! s'exclama-t-il en apercevant le téléphone, à qui tu parles, toi ?

Sans répondre, Izia décolla le portable de son oreille et se tourna vers Timothée

– Il faut qu'on s'arrache, Tim.

Puis elle jeta à Samuel un regard cinglant.

– Tu viens, tant mieux, tu viens pas, tant mieux aussi. Mais décide-toi maintenant.

Elle avança vers la fenêtre. Timothée contourna Samuel, laissant entre eux deux bons mètres de distance.

– Quoi, je pue ? s'énerva Samuel.

Il se sentait étrangement désemparé de les voir fuir si vite. Comme s'il savait qu'il passait à côté d'une opportunité.

– Attendez, pourquoi je viendrais avec vous, je ne sais même pas où vous allez, s'écria-t-il alors qu'Izia disparaissait dans le parc.

– Pour chercher des réponses, dit Timothée avant de sauter à son tour.

Samuel resta quelques secondes seul dans la pièce, indécis et furieux. Ils n'avaient pas le droit de partir comme ça, pas après avoir parlé de son père ! Ce n'était pas honnête de balancer ce genre de truc pour se tirer direct.

– Bordel ! pesta-t-il en se précipitant vers la fenêtre.

D'un bond, Samuel atterrit derrière le buisson et courut rejoindre Timothée et Izia qui se dirigeaient vers la sortie. Il éprouvait la désagréable impression d'être au bout d'un hameçon dont Timothée tirait le fil.

– Toi, va falloir que tu t'expliques, souffla-t-il dents serrées en arrivant à leur hauteur.

– Tout à fait d'accord, lâcha Izia, mais plus tard. Pour l'instant, on se casse.

Devant le visage crispé de la jeune fille, Samuel ravala la remarque acerbe qui lui montait à la bouche. Ces deux-là lui étaient tombés dessus, et en l'espace d'une minute, il avait abandonné tous ses plans pour les suivre, sans même savoir pourquoi.

– Bordel... répéta-t-il à mi-voix en passant la grille de la clinique.

Pourquoi rien ne se déroulait jamais comme prévu ?

16 h 26

Izia

En marchant le long de la route vers l'arrêt de bus, Izia observait Timothée du coin de l'œil. Pour quelqu'un qui n'avait pas quitté la clinique depuis plusieurs années, il semblait plutôt calme. Toutefois Izia se méfiait des apparences. Timothée leur cachait quelque chose. Le contact d'une autre personne lui faisait mal, c'était évident vu l'état dans lequel il se trouvait juste après avoir touché Samuel. Mais comment avait-il su que la pièce était vide avant d'y entrer ? Et pourquoi avait-il parlé de son père à Samuel ? Si Timothée ne mentait pas sur sa pathologie, il ne disait pas tout.

Et Samuel, justement. Étrange coïncidence qu'il se pointe à la clinique pile en même temps qu'eux. Izia avait du mal à croire au hasard. Surtout quand il s'agissait de Samuel. Elle n'avait passé qu'une journée avec lui, alors qu'ils étaient en début de quatrième, mais elle s'en souvenait comme si c'était hier.

À l'époque, Samuel et Izia étaient dans des collèges différents. Un peu plus d'un an après la mort de son père, Samuel avait commencé à traîner avec des lycéens débiles qui l'avaient adopté comme un petit frère. Leurs mères qui travaillaient ensemble avaient pensé que passer du temps avec Izia ferait du bien à Samuel. *Super idée, ouais, merci maman.*

Ce crétin avait voulu qu'elle l'aide à voler un scooter, et quand il avait compris qu'Izia ne le suivrait pas, il l'avait traitée de sale petite peureuse en s'avançant d'un air menaçant. Énervée, Izia lui avait fait une clef de bras. Une technique enseignée par son père. La douleur avait forcé Samuel à s'agenouiller. Izia n'avait pas lâché sa prise avant qu'il jure de ne plus jamais l'embêter, puis il était parti en courant.

Quand Izia avait raconté sa journée à sa mère, celle-ci avait cherché à excuser le garçon. Elle avait prétexté une situation compliquée depuis la mort de son père, avait ajouté que la mère de Samuel travaillait beaucoup et ne pouvait pas être tout le temps derrière lui, d'autant qu'ils ne s'entendaient plus très bien.

– Pourquoi ? avait demandé Izia.

Sa mère avait soupiré, puis avoué que le père de Samuel souffrait d'une addiction aux jeux d'argent et qu'il avait replongé quelques mois avant sa mort. Quand il sortait du casino, que ce soit pour célébrer sa victoire ou pour oublier ses pertes, il buvait. Trop. Le soir de l'accident fatal, il avait perdu une grosse somme. Les parents de Samuel s'étaient disputés. Le garçon pensait que c'était à cause de cette dispute que son père était mort, et il en rendait sa mère responsable.

– Samuel n'est même pas au courant des problèmes de son père, avait-elle conclu, je n'aurais pas dû te raconter tout ça.

Izia lui avait assuré qu'elle tiendrait sa langue. De toute manière, elle n'avait pas l'intention de revoir Samuel. Mais au début de cette année scolaire, il avait été viré de son ancien collège et était arrivé dans celui d'Izia pour redoubler sa quatrième. Manifestement, il n'avait toujours pas digéré l'humiliation infligée par Izia. Ils avaient échangé des regards noirs tout l'automne sans s'adresser la parole. Après les vacances de Noël, Samuel n'était pas revenu au collège. Cela ne plaisait pas vraiment à Izia de le retrouver sur son chemin aujourd'hui...

Elle se retourna et aperçut le bus au loin sur la route.

– Morgane, dépêche ! fit-elle dans le téléphone.

– *J'arrive !*

Un simple poteau en plastique marquait l'emplacement de l'arrêt de bus. Samuel se posta quelques pas en retrait.

– T'inquiète, il ne va pas te foncer dessus, dit Timothée.

Izia resta un moment interdite, sans comprendre de quoi il parlait. Le visage de Samuel se décomposa.

– Comment t'es au courant ? s'exclama-t-il. Non mais comment tu sais ça ? C'est pas possible !

Le sourcil gauche d'Izia se releva par réflexe.

– Un bus t'a foncé dessus ? s'étonna-t-elle. Quand ?

– Tout à l'heure, j'ai failli me le prendre.

– Le chauffeur ne t'avait pas remarqué ?

– Aucune idée. Le bus s'est planté juste après. Il n'y avait personne dedans.

– Sérieux ? Et ça t'arrive souvent ce genre de truc ?

Samuel haussa les épaules d'un air méprisant. Izia commençait à vraiment s'inquiéter. La mort de Nathan, l'impression d'être suivie hier soir, ces gens qui la filaient avec Morgane ce midi, un bus qui manquait Samuel de peu... Trop d'accidents pour que ce soit une coïncidence. Les événements lui échappaient, et cela devenait assez menaçant pour que sa bonne humeur aventureuse s'envole.

Izia croisa les doigts. Les informations leur faisaient cruellement défaut. Pourvu qu'ils trouvent des réponses dans l'ordinateur de Nathan.

Nathan...

Il leur avait laissé un sacré jeu de piste... au bout duquel se cachait une vérité suffisamment dangereuse pour qu'il la dissimule à son double virtuel, et suffisamment importante pour qu'il les lance à sa poursuite.

– Qu'as-tu découvert, freaky boy ? murmura-t-elle pour elle-même.

Le bus tourna devant la clinique et s'arrêta à leur hauteur. Ils montèrent. Il n'y avait pas grand monde, un couple âgé et une jeune femme. Samuel fila d'emblée sur la banquette du fond. Morgane apparut le long de la route, courut et sauta dans le véhicule juste avant que les portes se referment, la boîte entre les mains.

– J'ai loupé un épisode ? souffla-t-elle à Izia.

– Tu voulais savoir qui est Samuel Roux ?

– Heu... oui...

– Le voilà, fit-elle en désignant le garçon du menton.

Sans se concerter, Morgane et Izia encadrèrent Timothée pour que personne ne le touche et gagnèrent à leur tour le fond du bus. Une fois assise, Izia se tourna vers Timothée.

– Je crois que tu nous dois une explication...

Traqués

16 h 40

Morgane

– Donc quand tu touches quelqu'un, tu... absorbes ses souvenirs ? se renseigna Morgane en refoulant la vague de panique qui montait en elle. Tu lis ses pensées ?

Timothée pencha la tête sur le côté.

– Pas exactement, répondit-il après quelques secondes. Ce que je perçois n'est pas ordonné, ce sont des bribes de souvenirs, oui, mais surtout des images, des impressions, des humeurs, parfois simplement des couleurs ou des odeurs qui ne sont rattachées à rien et que je ne comprends pas. Je ne lis pas les pensées. La plupart du temps, je perçois juste les émotions de ceux qui m'entourent sans même les toucher. C'est comme ça que j'ai su qu'il n'y avait personne dans la pièce tout à l'heure, ajouta-t-il en se tournant vers Izia, je ne percevais rien.

– Et tu dis que c'est douloureux ? relança Izia. Le contact de quelqu'un ?

– Toute une vie qui surgit d'un coup dans mon cerveau ? C'est d'une violence incroyable. Si ça arrive trop souvent, je finis par confondre ma vie et celle des autres, je ne distingue plus quels souvenirs m'appartiennent vraiment.

La main de Morgane agrippa le bord de son siège et elle sentit sa lèvre se mettre à trembler nerveusement. Relevant la tête, elle croisa les yeux verts de Timothée posés sur elle avec un air désolé, comme une confirmation de ce qu'elle redoutait. Il l'avait touchée la veille. Il connaissait sa vie et l'état de sa mère.

Sentant son pouls accélérer, Morgane détourna le regard pour fixer le bas-côté qui défilait en contrebas. Elle essaya de relativiser. Timothée n'était pas comme ses amis du collège, il venait de passer quatre ans en clinique psychiatrique, la folie lui était familière, il ne lui en voudrait pas d'avoir une mère folle. Peut-être n'en parlerait-il pas ? Oui, voilà, elle lui demanderait de se taire.

– On doit connecter la boîte à l'ordinateur de Nathan, rappela Timothée d'une voix douce, mais je ne peux pas débouler chez mon oncle et ma tante. Comment on fait ?

Morgane sauta sur l'occasion.

– Je reste avec toi pendant qu'Izia et Samuel y vont.

Izia n'avait pas l'air ravie, mais elle ne fit aucun commentaire.

Samuel, qui n'avait pas bronché depuis qu'ils étaient montés dans le bus, se redressa sur la banquette du fond, posa ses mains sur le dossier du siège devant lui, et demanda :

– Dites, quelqu'un pourrait m'expliquer cette histoire de boîte ?

16 h 53

Marc Loizeau

Le capitaine respira, soulagé. Ses collègues avaient retrouvé les deux adolescentes et les filaient de nouveau.

Rassuré, il quitta en coup de vent le commissariat, passa devant le théâtre Chateaubriand, longea les remparts d'un pas pressé. Des années qu'il se préparait pour ce jour, comme tous les membres de l'organisation. Enfin, pas exactement *comme* eux. À présent tout s'accélérait, et cette période stressante lui semblait soudain bien courte. Il faudrait jouer finement la partie qui s'annonçait. Avait-il récolté suffisamment d'informations pour accomplir sa mission ? S'était-il élevé assez haut dans la hiérarchie d'EVE pour que leur leader se confie à lui ? Il le saurait bientôt.

Marc s'assura que la ruelle était vide avant de pousser la porte du local.

Izia

Le bus atteignait la zone commerciale en lisière de la ville quand Izia perçut un mouvement à l'extrémité de son champ de vision. Elle tourna la tête, alarmée. À l'arrière du bus, une moto de sport d'un gris aussi sombre que celui du ciel remontait la file de voitures.

– Un problème ? s'inquiéta Morgane.

Sans répondre, Izia se tourna vers Samuel.

– Quelqu'un t'a suivi jusqu'à la clinique.

Le garçon laissa échapper une exclamation de surprise.

– Qui ferait un truc pareil ? C'est débile…

Izia resta silencieuse. Samuel avait beau être un crétin fini, il venait de poser la bonne question. Qui ? Avant de prendre le bus pour la clinique, Izia et Morgane avaient semé leurs poursuivants. S'ils avaient retrouvé leur trace, c'était probablement parce que Samuel était lui aussi sous surveillance. Toute cette affaire était liée à la clinique et aux expérimentations qu'ils auraient subies, soit. Mais qui s'intéressait à eux de si près qu'ils traquaient leurs moindres faits et gestes ? Les médecins de la clinique ? Quelles étaient leurs intentions ?

Alors que le bus s'immobilisait sur le bas-côté, une femme blonde portant de grosses lunettes de soleil se leva, trois rangées devant eux. Les portes s'ouvrirent.

Juste avant de les franchir, elle tourna la tête vers les adolescents. Timothée se figea.

– Il faut descendre, lâcha-t-il d'une voix blanche. Maintenant.

Faisant confiance aux surprenantes capacités de Timothée, Izia ne perdit pas un instant. Le bus s'apprêtait à quitter l'arrêt.

– Morgane, cache tes cheveux, souffla-t-elle aussitôt.

La jeune fille remonta son foulard pour dissimuler son inimitable chevelure rousse, et tous se précipitèrent à l'avant du bus.

– Arrêtez-vous, cria Izia au conducteur, on doit descendre.

– Pas seulement nous, lui souffla Timothée. Tout le monde doit sortir. Vite.

Izia leva les bras, agacée. Elle n'avait pas un pouvoir de persuasion suffisant, elle n'était qu'une gamine aux yeux du conducteur, et il lui lançait déjà un regard énervé.

– Morgane, la pressa Izia, fais quelque chose.

– Monsieur, déclara Morgane d'un ton clair et respectueux, vous devriez vraiment arrêter ce bus. Il y a un colis suspect à l'arrière. Ce n'est pas le plan Vigipirate en ce moment ?

Un doute obscurcit le visage du conducteur. Il adressa un sourire indulgent à Morgane et se rangea sur le bas-côté, intimant aux passagers de quitter le véhicule. Tous obtempérèrent en grommelant et se rassemblèrent sur le trottoir.

– Bien joué, Vigipirate, souffla Izia à Morgane en passant les portes. Je n'y aurais pas pensé.

– Cette femme a *vraiment* laissé un sac sous son siège, Izia.

– Merde...

Izia scruta les environs. La blonde avait pris la tangente. Le conducteur était resté à l'intérieur pour inspecter les sièges à l'arrière, et Samuel ne pouvait s'empêcher de crâner en le suivant de l'autre côté de la vitre. Il était trop près. Izia n'eut pas le temps de l'avertir qu'une puissante détonation retentit. L'onde de choc souleva le bus et projeta Izia à terre. Instinctivement, elle protégea ses yeux d'un bras. Un concert de cris et de klaxons s'éleva autour d'eux.

Laissant Morgane et Timothée avec les passagers, Izia s'élança vers Samuel. Celui-ci était assis par terre, sonné, les yeux grands ouverts perdus au loin. Une longue plaie saignait abondamment sur son front.

– Sam ! fit Izia en le secouant. Sammy !

Le garçon tourna la tête vers elle.

– Ne m'appelle pas comme ça.

Izia respira. Samuel était toujours le même, sa fierté horripilante était intacte et il avait l'air lucide. Elle sortit un mouchoir en dentelle d'une poche de sa veste et le posa contre le front du garçon.

– Presse-le sur la plaie, recommanda-t-elle. Tu peux te lever ?

– Je crois.

Elle lui tendit une main que Samuel refusa d'un grognement dédaigneux, mais lorsqu'il fut debout, il pâlit, manquant de tourner de l'œil, et s'agrippa au poignet d'Izia. Celle-ci aperçut plusieurs personnes pendues au téléphone.

– Le conducteur ? s'inquiéta Samuel.

Izia raffermit sa prise. Samuel devait être bien sonné s'il commençait à se soucier des autres.

– Mort, ou dans un sale état.

Un scooter un peu trop familier s'arrêta sur le bas-côté. Le même qui les avait suivies ce midi, Morgane et elle.

– Allez champion, murmura Izia, on se tire.

Samuel acquiesça d'un grognement. Morgane se glissa de l'autre côté pour le soutenir et, Timothée en éclaireur, ils s'échappèrent vers les parkings du centre commercial.

Avançant d'un pas déterminé à travers la marée de véhicules multicolores, Izia serra les mâchoires. Une voiture renverse Nathan. Un car se précipite sur Samuel. Une fille plastique leur bus. *Qu'est-ce qu'on va nous envoyer ensuite ? Un avion de chasse ? Un sous-marin nucléaire ? Non mais sérieux, quoi !* Leurs poursuivants jouaient la surenchère, et si Izia ne savait toujours pas qui ils étaient ni pourquoi ils s'attaquaient à eux, il n'y avait plus de doute sur leurs intentions.

Ils voulaient les tuer.

Alors pourquoi ne leur fichaient-ils pas simplement une balle en pleine tête ?

17 h 20

Marc Loizeau

Le capitaine fulminait.

Une demi-heure que le leader d'EVE le faisait poireauter. Et pendant ce temps, la ville était sens dessus dessous, le commissariat en état d'alerte, et son portable s'agitait comme un manège de fête foraine. Loizeau s'approcha du molosse brun qui gardait l'entrée du bureau, cheveux coupés ras, yeux inexpressifs.

– Dis à Barthélémy que s'il ne me reçoit pas tout de suite, je m'en vais.

La porte s'ouvrit.

– Est-ce une menace, Marc ? demanda un petit homme au crâne si lisse qu'il luisait à la lumière de l'ampoule. Je ne m'attendais pas à cela de ta part...

Marc sourit.

– Certainement pas. J'aimerais juste ne pas compromettre ma couverture au commissariat. Si je continue à ne pas répondre, je devrai rendre des comptes.

Barthélémy Chevalier sourit en retour. Immobile dans l'embrasure de la porte, flottant dans sa chemise de soie noire, il semblait inoffensif. Mais ses yeux brillaient d'une intelligence retorse.

– Tu sais que j'agis pour notre bien, n'est-ce pas, Marc ?

– Bien sûr.

– Alors pourquoi n'arrives-tu pas à me faire confiance ?

– C'est en moi que je n'ai pas confiance, je crois. J'ai peur de ne pas réussir à protéger l'organisation si j'ignore ce qui se trame.

– L'échec n'est pas une option, Marc. Ne me déçois pas.

Le capitaine fit un pas en avant.

– J'insiste. Donnez-moi les informations qui me manquent pour vous protéger au mieux. C'est tout ce qui m'importe.

Barthélémy réfléchit un instant. Puis d'un geste, il invita Marc à le suivre dans son bureau.

17 h 24

Timothée

Timothée frissonna.

Avoir frôlé la mort le perturbait, bien sûr, mais pas autant que de retrouver le monde extérieur après quatre années d'isolement. Il n'était pas sorti de la clinique depuis plus d'une heure qu'il passait déjà son temps à fuir les contacts.

Comme dans sa vie d'avant.

En pire.

Dans le bus, il était tellement concentré à éviter le bras de Morgane qui s'agitait à côté du sien qu'il avait failli manquer la brusque décharge de haine que la femme avait déversée dans son esprit juste avant de descendre. Et lorsque le souffle de l'explosion avait balayé les passagers du bus, son premier réflexe avait été de chuter le plus loin possible des autres. Cette vigilance de chaque instant nécessitait une énergie extraordinaire, et Timothée se sentait épuisé.

Contournant un magasin de meubles, il jeta un regard en arrière avec envie. Dans la sécurité relative de la clinique, il avait fini par accepter d'être différent. Admettre son état était plus difficile au-dehors, confronté à des jeunes de son âge. Surtout à des filles. Lui aussi aurait aimé être soutenu par Morgane et Izia, comme l'était Samuel, une fille à chaque bras. Rien que d'imaginer le contact doux de leurs poitrines contre ses coudes… Timothée coupa court à son fantasme. Il n'osait même pas concevoir la douleur colossale qu'il endurerait dans une situation pareille. Et par le passé, ce genre de pensées s'était souvent révélé destructeur.

Une pluie fine se mit à tomber, qui se transforma bientôt en averse. Tout en accélérant le pas, Timothée leva les yeux vers le ciel et sourit. Il avait toujours aimé la pluie.

L'une des rares caresses qu'il pouvait supporter.

17 h 27

Samuel

– Montre, intima Izia à Samuel alors qu'il venait de s'affaler sur le sol à l'arrière du magasin de meubles désert.

– C'est presque rien, marmonna-t-il.

Izia se tint devant lui, bras croisés. Elle ne le laisserait pas tranquille avant d'avoir vu la plaie. Avec un soupir théâtral, Samuel écarta de mauvaise grâce le mouchoir brodé de son front. Izia avança les doigts vers sa blessure, préoccupée. Samuel accepta son contact quelques secondes puis secoua la tête avec agacement.

– Quoi ? s'énerva-t-il. Qu'est-ce que j'ai ?

– C'est pas beau. Ça a l'air profond. Tu as besoin de points de suture.

– Pas si grave, affirma-t-il avec un sourire dur.

– Samuel, fit observer Morgane, il y a du sang plein ton pull.

Le garçon baissa la tête. Des traînées rouges striaient en effet son sweat gris.

– La tête saigne toujours beaucoup, lâcha-t-il avec un haussement d'épaules.

L'insouciance de Samuel était sincère. Il était plutôt casse-cou et aimait prendre des risques, aussi se blessait-il souvent. Jamais rien de sérieux. Jamais rien qui ait nécessité une visite chez le médecin en tout cas. Son corps était recouvert de petites cicatrices sans importance, alors une de plus ou une de moins… *Hey, d'ailleurs*, pensa-t-il avec fierté, *je n'en avais pas encore sur le front !*

– Tout va bien, je vous dis, s'exclama-t-il en se relevant.

Sa tête tournait méchamment, mais il parvint à se tenir debout.

– On passe dans une pharmacie, trancha Izia.

Inspectant une dernière fois la blessure, elle récupéra du bout des doigts le mouchoir imbibé de sang et le jeta dans une benne avec un air peiné. Samuel ne comprendrait jamais cette fille. Ce bout de tissu devait dater de cinquante ans au moins, ce n'était pas une grande perte, sérieux ! Et puis là, tout de suite, il y avait des choses plus importantes, des questions qui fissuraient son armure de flegme. Du genre :

– Est-ce que quelqu'un sait ce qui vient de se passer ? Parce que frôler la mort deux fois dans la même journée, ça commence à faire beaucoup. J'en ai ma claque des accidents bidon !

Les quatre adolescents se dévisagèrent. Même s'ils tentaient de garder leur sang-froid, ils étaient choqués et la peur se lisait sur leurs traits. Samuel s'obstina à afficher un masque hautain, malgré la boule nauséeuse qui roulait au fond de son ventre. Sa vie était en jeu. Et même s'il trouvait souvent sa vie à chier, il s'aperçut qu'il y tenait.

Samuel surprit un bref signe d'acquiescement entre Timothée et Izia. Sans qu'il sache pourquoi, cette complicité l'énerva. Il se sentait exclu.

– La blonde du bus voulait clairement nous tuer, renchérit Timothée. Mais il y avait plus. Elle… elle nous détestait. De la haine pure.

– Tu es sûr que cette haine était dirigée contre nous ? questionna Morgane.

– Oui. Avant de descendre, elle a tourné la tête vers nous. Malgré ses lunettes de soleil, je sais qu'elle me regardait parce que j'ai reçu… je ne sais pas comment décrire ça. De la haine, oui, des dards de haine, droit dans mon cerveau. Et du dégoût aussi.

Samuel fit jouer sa mâchoire. La haine et le dégoût. Deux sentiments qu'il connaissait intimement et qu'il générait souvent chez ceux qui le côtoyaient. Mais pas au point de vouloir le tuer…

– Ça fait beaucoup d'accidents depuis deux jours, observa-t-il. Voiture pour Nathan, bus pour nous, sans oublier les motos et les scooters qui nous suivent… ces mecs ont des actions dans une société de transports ou quoi ?

Et puis lui pouvait ajouter à la liste l'accident qui avait coûté la vie à son père. Avec sa mère en commanditaire du crime.

– On ne sait pas qui ils sont, intervint Izia, mais en effet, jusqu'ici, ils se sont débrouillés pour que leurs attaques ressemblent à des accidents. Cette fois, avec une bombe, ils sont passés à la vitesse supérieure… et ils sont prêts à faire d'autres victimes pour atteindre leurs cibles.

Timothée et Morgane acquiescèrent. Samuel, lui, rumina les paroles de la jeune fille. Elle avait raison, ceux qui cherchaient à les éliminer étaient déterminés. Rester tous ensemble leur facilitait la tâche. Pour la millième fois, Samuel se maudit de les avoir suivis.

– Je m'en vais, lâcha-t-il. On survivra plus longtemps en se séparant.

Izia laissa échapper un son sarcastique à mi-chemin entre le rire et le soupir.

– T'as raison, ouais, casse-toi, ça nous fera de l'air.

Morgane lui lança un regard noir et se tourna vers Samuel pour le raisonner.

– Lorsque ce bus a foncé sur toi ce midi, on n'était pas là. Tu peux partir, mais ils continueront à essayer de te tuer, et tu seras seul pour y faire face. Reste.

Izia eut un rire ironique. Samuel hésita. Il plongea dans les grands yeux bleus de Morgane sans réussir à se détourner. Cette fille était fascinante. Et tellement... belle/parfaite/adorable. *Merde,* se reprit-il, *ce n'est qu'une fille, arrête ça !* Mais les mots sortirent de sa bouche avant qu'il puisse les retenir :

– Je reste pour toi.

– Quelle surprise, grinça aussitôt Izia.

– Il serait temps de prévenir la police, osa timidement Morgane.

Trois paires d'yeux se braquèrent sur elle. Samuel voulut protester. Se retrouver dans un commissariat était la dernière chose qu'il souhaitait. Il n'était pas le seul, car Izia le devança :

– Morgane, on est en vadrouille avec le patient d'une clinique psychiatrique. Le premier truc que feront les flics, c'est de le renvoyer là-bas.

L'argument ébranla Morgane.

– Mais je suis sûre que Marc... tenta-t-elle.

– L'ami de ton père ? la coupa Izia. Le capitaine ? Tu es sûre que quoi ? Qu'il nous écouterait ? Qu'il nous croirait ? Tu rêves, princesse ! Bon sang, j'ai déjà du mal à y croire moi-même...

Morgane se tut, mordillant nerveusement sa lèvre inférieure. Samuel adressa un regard acéré à Izia. De quel droit lui parlait-elle sur ce ton ? Puis son attention fut de nouveau happée par Morgane et il laissa échapper un sourire. Cette fille était vraiment adorable. Bien que sa vision de la police semble assez éloignée de la sienne…

– Alors qu'est-ce qu'on décide ? demanda-t-il tandis que le silence se prolongeait.

Izia jeta un coup d'œil à sa montre, puis au ciel. L'averse s'était arrêtée.

– D'abord, on va vérifier qu'on n'est plus suivis et trouver une pharmacie. Tu n'y échapperas pas, asséna-t-elle à Samuel en le voyant ouvrir la bouche pour protester. Ensuite, on ne peut pas se protéger sans découvrir ce qu'on nous veut. On devrait se pointer chez Nathan pour récupérer les données de son ordinateur avant que nos parents s'inquiètent de savoir où nous sommes.

À ces mots, le sourire désabusé de Samuel s'évapora et ses lèvres se pincèrent en une ligne dure. Il n'avait pas rallumé son portable depuis qu'il avait claqué la porte de chez lui la veille au soir. Sa mère avait dû essayer de le joindre en vain toute la journée. Avait-elle appelé la police ? Ou espérait-elle qu'il rentre vite à la maison ? Une rage froide et incontrôlable s'engouffra dans ses veines, infectant chaque muscle, chaque pensée.

Si elle s'imagine que je vais rentrer, elle peut toujours courir, pensa-t-il en enfonçant les poings au fond de la veste en cuir de son père.

Marc Loizeau

– Mon cher Marc...

Sentant que le leader de l'organisation était prêt à se livrer, le capitaine se redressa sur sa chaise, attentif. Il touchait au but.

– ... Je m'intéresse depuis plusieurs années à la clinique des Cigognes, continua Barthélémy Chevalier. Connais-tu cet endroit ? (Loizeau réprima un sourire, se contenta d'acquiescer.) Le directeur, un chercheur nommé Martin Klein, y commet des atrocités en secret.

Marc lui jeta un regard étonné.

– Vous ne nous en avez jamais parlé. Pourtant vous savez que nos convictions sont aussi profondes que les vôtres.

– Je ne vous en ai pas parlé parce que je n'avais pas de preuves, Marc. Notre ami Jonas – alias Joy, dont tu connais les talents derrière un clavier d'ordinateur – m'en a fourni il y a quelques jours. Lui et un autre hacker ont réussi à pénétrer la base de données de la clinique. Je n'aime pas le voir travailler avec un inconnu sur des contenus aussi sensibles, mais Jonas était sur le coup depuis des mois et ne s'en sortait pas seul. Tous deux ont découvert des comptes rendus d'expériences abjectes. Bien que les noms des sujets sur qui ces expérimentations ont été menées soient cryptés, nous sommes parvenus à déchiffrer les plus anciens.

Un frisson parcourut le dos du capitaine.

– La liste de noms que vous nous avez donnée, devina-t-il. Ces jeunes que vous voulez éliminer...

– Ce sont eux.

– Ce deuxième hacker, il a eu accès à cette liste, lui aussi ?

– Malheureusement. Je pense qu'il les a contactés, ça ne peut pas être un hasard s'ils se baladent en meute aujourd'hui. Joy n'a pas pu découvrir son identité. Les pirates et leur manie paranoïaque des pseudos...

– Vous parliez d'expériences. Que... quelle en est la nature ?

Le visage du petit homme se contracta dans une moue de dégoût, narines dilatées, lèvres pincées.

– Ils fabriquent des monstres, Marc.

Le capitaine avait suffisamment fréquenté Barthélémy pour savoir ce qu'il entendait par là. Était monstrueux tout ce qui n'était pas strictement naturel. Ce qui était vaste. Un peu trop.

– Je ne suis pas sûr de comprendre, murmura Marc. Nous nous battons pour défendre la vie, la nature... et vous nous demandez de tuer des enfants. N'est-ce pas un peu... contradictoire ? Ces jeunes n'y sont pour rien, pourquoi ne pas éliminer directement leur créateur, ce Martin Klein ? Ou bien rendre l'affaire publique ? Vu ma position, je pourrais l'interpeller immédiatement...

– Marc, cher Marc, commença Barthélémy avec un petit sourire, le tableau que je contemple est bien plus vaste que celui qui s'offre à toi. Si leurs travaux étaient rendus publics, les gens sauraient que leurs recherches fonctionnent. Et d'autres voudraient les reproduire, créer à leur tour des êtres répugnants. Cela ne s'arrêterait jamais. Non, il faut éradiquer la menace. Aujourd'hui, nous commençons par éliminer les créatures dont nous connaissons l'identité. J'ai contacté tous les militants de la région prêts à porter les armes. Bientôt, Jonas décryptera les fichiers plus récents, et nous saurons qui sont les autres dégénérés. Alors nous les tuerons. Ils polluent l'humanité, ils doivent disparaître.

Le capitaine s'abstint de tout commentaire, se contenta de fixer son interlocuteur dans l'espoir que d'autres révélations suivraient. Il ne fut pas déçu.

– Je vois que tu doutes, mon ami, lança Barthélémy avec un sourire.

– Je ne doute pas de vous. Jamais. Je partage vos convictions, et c'est pour cela que je vous ai rejoint au sein d'EVE. Mais ces jeunes ne sont pas responsables de ce qu'ils sont, et je...

Le capitaine laissa la phrase en suspens, les yeux dans le vide.

– Marc, je vais te confier un secret que je n'ai jamais révélé à un seul des nôtres. Je vais te le confier parce que je crois en toi. Cette organisation a besoin d'hommes tels que toi, efficaces, droits, intransigeants. Si le doute dévore ta volonté, tu n'auras pas la force d'accomplir notre mission.

Barthélémy Chevalier fit une brève pause, puis reprit :

– Il y a un peu plus de quinze ans, quand le professeur Martin Klein s'est installé dans la région, j'appartenais à son équipe. Je travaillais à la clinique des Cigognes.

Cela, Marc le savait depuis longtemps. Il n'en laissa rien paraître.

– Vous ? Un scientifique ?

– Chercheur en génétique, oui.

Marc le dévisagea.

– Pourquoi n'êtes-vous pas resté là-bas ?

– Parce que j'ai contemplé le mal, Marc. La première créature née de nos travaux. C'était un mâle, je n'arrive même pas à dire « garçon ». À sa naissance, il était couvert de poils roux répugnants. Nous avons dit à la mère que son fils était mort-né. Un mensonge. La créature vivait, elle vivait même avec beaucoup d'insistance, grandissait à vue d'œil. Au bout de trois jours, elle avait la taille et la forme d'un enfant de cinq ans – excepté le pelage roux qui recouvrait sa peau. Au bout de dix jours, elle était adulte. Ses yeux... ils me hantent encore aujourd'hui. Glacials, inhumains, redoutables. Comme si l'enfer se tenait devant moi. La créature a vécu près d'un mois. Elle avait une force incroyable et une agressivité proportionnelle. Elle se jetait sur tous ceux qui essayaient de l'approcher. Un jour, je l'ai trouvée immobile sur le sol de sa chambre. Je suis entré prudemment, croyant qu'elle allait m'attaquer une fois de plus, que c'était une ruse. Mais elle était morte. Son pelage était strié de blanc, sa peau aussi fripée que celle d'un vieillard. Et sur le mur de sa chambre, en lettres maladroites, elle avait écrit : « Vous êtes déjà morts. » Il y avait tellement de haine dans le tracé de ces mots, tellement de menace voilée que la nausée m'a saisi. J'ai quitté le programme le lendemain. Plus tard, ils ont changé le cryptage des documents pour que je ne puisse y accéder. Toutefois, dans les plus anciens rapports d'expériences récupérés par Jonas, les noms étaient encore dissimulés par le code que je connaissais, et j'ai pu les déchiffrer.

Marc ferma un instant les yeux, massa ses paupières, considéra le petit homme en face de lui.

– Je vois, dit-il le plus calmement du monde.

L'autre le dévisagea, puis sourit.

– À présent, tu ne doutes plus. Ton regard est limpide. Tu sais quel est notre chemin.

Loizeau opina.

– Oh oui. Je le sais. Merci infiniment pour votre confiance.

– Sois-en digne, Marc.

– Toujours.

Le capitaine sourit au leader d'EVE et se leva pour prendre congé.

Une famille attendait sa visite.

17 h 57

Morgane

Les quatre adolescents filaient vers la maison de Nathan, évitant les zones trop fréquentées.

Morgane observa discrètement ses compagnons. Si on lui avait dit deux jours plus tôt qu'elle sécherait les cours avec la meuf la plus bizarre du collège, un quasi-délinquant déscolarisé et un évadé de clinique psychiatrique, elle aurait ri en levant les yeux au ciel. Ces quatre-là n'auraient jamais dû se rencontrer, et encore moins traîner ensemble. Pourtant, Morgane était troublée, car elle commençait à ressentir… pas de l'amitié, non, on ne pouvait pas dire ça. Plutôt une sorte de lien. Elle admirait l'indépendance d'Izia qui la changeait radicalement de sa cour d'admirateurs et lui tendait un miroir honnête. Samuel était plus difficile à cerner. Il était si loin de tout ce qu'elle connaissait… D'un physique passe-partout à l'exception de son regard d'ambre trouble, il avait dans la démarche quelque chose du loup, insaisissable, ondulant. Ses allures de dur étaient caricaturales mais il réussissait parfois à l'effrayer tant ses réactions étaient violentes et impulsives. Il avait aussi un sourire désarmant, et son côté écorché vif la touchait.

Et puis il y avait Timothée.

Sans ralentir l'allure, Morgane tourna la tête vers l'étrange profil du garçon. Un sourire s'allongea sur ses lèvres sans qu'elle s'en aperçoive. Timothée n'était pas parfait – un nez un peu trop long, une bouche un peu trop fine, un front un peu trop large, des joues un peu trop creuses… Il se dégageait pourtant de ses traits une harmonie fascinante. Peut-être parce que ses cheveux châtains en bataille tempéraient les angles de son visage ? Ou à cause de la douceur de son regard…

S'apercevant que la commissure des lèvres de Timothée se creusait d'une fossette amusée, Morgane détourna précipitamment les yeux, le cœur battant. Le garçon avait dû sentir qu'il était observé. Mais avait-il capté les détails de sa rêverie ? Elle espérait bien que non... la honte ! Chassant sa gêne, Morgane se promit de surveiller ses pensées en présence de Timothée.

Mais les lumineux yeux verts continuèrent de danser dans sa tête comme des papillons insaisissables.

18 h 15

Samuel

Izia pressa le bouton de la sonnette. Samuel resta en retrait dans la ruelle, mal à l'aise. Il ne connaissait pas Nathan et se pointer comme ça chez lui le lendemain de sa mort le dérangeait. Une fille apparut dans l'embrasure de la porte, blonde, cheveux mi-longs, visage fatigué.

– Oui ? demanda-t-elle d'une voix douce.

– Bonjour Lisa. Désolée de te déranger aujourd'hui, on est des amis de Nathan, et on aurait souhaité... on cherchait une manière de lui dire au revoir et on a pensé que... Bref, on aimerait passer un moment dans sa chambre. Si c'est possible, bien sûr, sinon je comprends, je ne veux pas embêter ta famille un jour pareil...

La fille laissa Izia ramer jusqu'au bout de sa phrase, puis elle lui jeta un curieux regard, entre la tristesse et l'ironie.

– Suivez-moi, lâcha-t-elle finalement en ouvrant la porte en grand.

Elle entraîna Izia et Samuel à l'étage. Du coin de l'œil, celui-ci aperçut un couple enlacé dans la cuisine, les épaules secouées de sanglots silencieux. Il s'empressa de rejoindre les filles quelques marches plus haut. Cette maison puait la tristesse, elle suintait des murs et des hommes. La différence avec ce qu'il avait vécu, c'est qu'une famille unie habitait ici, cela se sentait. L'amour contrebalançait la peine. La gorge de Samuel s'étrécit.

La chambre de Nathan était impersonnelle. Un ordinateur trônait en bonne place non loin de la porte. Le reste était strictement fonctionnel : un lit, un vaste placard, une étagère avec quelques livres – des pavés scientifiques dont les titres à eux seuls assommèrent Samuel d'ennui.

– Je suis dans la chambre du fond, fit Lisa en les abandonnant.

Samuel la suivit des yeux. L'attitude de Lisa lui paraissait bizarre. Elle ne posait pas de questions, n'avait pas l'air surprise par leur visite. Lui n'aurait jamais permis à des étrangers de pénétrer chez lui dans un moment pareil.

Izia, elle, était déjà en train de s'activer. Elle alluma l'ordinateur, sortit la boîte de son sac à dos et la raccorda à l'unité centrale.

Cette boîte... Samuel frissonna à sa vue. Il avait encore du mal à concevoir qu'un mort continue à parler par le biais d'une machine. Si seulement son père avait pu...

Il balaya l'idée d'un haussement d'épaules. L'ordinateur demanda un mot de passe.

– Wake up, Nath, murmura Izia basculant l'interrupteur de la boîte sur « on ».

Samuel retint un soupir. Tout en cette fille l'énervait. Sa façon de bouger, ses expressions étranges, sa manie de mettre de l'anglais partout...

– *Iz'?* fit E-Nathan.

– Yep ! Tu es connecté à l'ordinateur de Nathan. Enfin le tien, si on veut...

La boîte émit un petit cliquètement, comme les pattes d'un insecte, qui arracha un frisson à Samuel. Il frotta nerveusement les strips que la pharmacienne avait collés sur son front, en travers de la plaie.

– *OK. Ça risque de prendre un moment. Il y a plusieurs gigaoctets d'informations là-dessus. Et je n'aurai pas assez de place pour tout garder en mémoire, il va falloir que je trie au fur et à mesure.*

– Fais au mieux, Nath.

– *En attendant, récupère tous les disques durs externes que tu trouves. Je vais avoir besoin d'espace.*

– Je peux savoir ce que vous trafiquez ? les interpella Lisa, bras croisés, sur le pas de la porte.

18 h 26

Timothée

– T'es sûr que tu ne veux pas t'asseoir ? demanda Morgane. Tu me donnes le tournis.

Timothée interrompit ses allers-retours nerveux dans la ruelle.

– Désolé. Je suis juste...

... nerveux/terrifié/intrigué/perdu... Les mots se bousculaient à ses lèvres et il ne put se résoudre à en choisir un. Il s'assit sur le bord du trottoir à un bon mètre de Morgane, passa une main fiévreuse dans ses cheveux, sursauta lorsqu'un moteur rugit dans une rue adjacente. Le regard inquiet de Morgane l'effleura comme une caresse apaisante. Il tourna la tête vers elle, se força à sourire.

– ... pas sorti depuis longtemps, s'excusa-t-il. J'avais oublié ce que représentait l'extérieur. Être entouré en permanence.

Et puis ressentir la haine de la femme du bus l'avait perturbé. Il garda cette information pour lui.

– Surtout que ta... capacité fausse un peu la donne, lâcha-t-elle en l'observant du coin de l'œil.

– Fausse ?

– Tu connais tout de moi ou de Samuel, mais nous on ne sait rien de toi. Ce n'est pas très... équilibré, comme relation.

Timothée ne répondit pas. Morgane avait raison bien sûr, il avait un avantage sur eux. Mais elle ne percevait pas le revers de la médaille. La douleur insoutenable de chaque contact, la rémanence de souvenirs étrangers qui brouillaient les siens, l'impossibilité de toucher quelqu'un sans lui voler sa vie. Mais aussi – surtout – la certitude qu'il ne serait jamais compris comme il comprenait les autres, que cette connaissance fusionnelle qu'il avait de ses proches ne serait jamais réciproque.

Tournant la tête vers Morgane, il reçut son regard pénétrant de plein fouet. Une esquisse de sourire s'accrocha à la commissure de ses lèvres. Bien sûr, personne ne le connaîtrait jamais comme il connaissait les gens, mais il disposait d'un moyen lent et fastidieux qu'il n'avait jamais voulu explorer, trop enfermé dans sa douleur pour s'ouvrir aux autres : dire, raconter son histoire.

Timothée se détourna, puis inspira comme on prend son élan.

– J'étais encore petit quand j'ai compris que je n'étais pas normal, confia-t-il d'une voix calme. Quatre ans, peut-être cinq. J'étais en colère contre ma mère, une très grosse colère. Avant, je faisais partie d'elle et elle de moi. J'avais grandi en elle, elle avait passé des années à me toucher chaque jour... j'avais accès à ses émotions les plus intimes. Notre relation était parfaitement fusionnelle. Mais ce jour-là, je me suis mis en colère parce que, pour la première fois, elle ne comprenait pas ce que je voulais. Ça me semblait tellement absurde... comment aurait-elle pu ne pas comprendre ? Elle était moi et j'étais elle.

Alors je me suis mis à crier plus fort, à briser les objets autour de moi. Incapable de me calmer, elle m'a lancé un regard désemparé dont je me souviens encore. À cet instant, j'ai pris conscience qu'elle était une personne différente. J'ai arrêté de crier. Je me suis assis sur le carrelage. J'avais envie de pleurer mais je n'avais pas de larmes. Ma mère s'est approchée, a essayé de me prendre dans ses bras. Pour la première fois, j'ai fui son contact. C'était instinctif je crois, je ne *voulais pas* qu'elle me touche. Je ne voulais plus. J'avais compris que ma manière intime d'échanger, cette communion de la peau, était à sens unique. Ce souvenir est le plus ancien que j'ai, probablement parce que c'est le premier qui soit seulement à moi. Je crois que c'est ce jour-là que je suis devenu fou.

Un silence chargé d'émotion résonna dans la ruelle.

– Non, murmura Morgane. C'est plutôt ce jour-là que tu as cessé de l'être.

Timothée tressaillit à ces mots. Elle venait de pointer une vérité qu'il n'avait jamais admise. Il n'avait raconté qu'un bref souvenir, et déjà le regard de Morgane y glissait une lumière nouvelle. Il comprit pourquoi les psychiatres essayaient en vain de le faire parler depuis des années, et aussi pourquoi il s'était tu : ce n'était pas d'eux qu'il voulait être connu. Mais d'elle, Morgane, oui. Il souhaitait qu'elle découvre ce qu'il cachait dans la boue de son esprit. Même le laid, même le sale, même le triste.

– Peut-être, dit-il pour repousser l'émotion qui menaçait de le submerger.

– Tu ne l'as plus jamais retouchée depuis ? demanda Morgane.

– Ma mère ? Si. Seulement, quand j'ai grandi, c'est devenu insupportable. Son contact, comme celui des autres, ce sont des intrusions, des sortes de... viols mentaux, si tu veux. Comment t'expliquer ? Tu sais, même les gens qui semblent heureux tout le temps sont pleins de peurs, de blessures... Terrifiant. Eux, ils ont amassé cette douleur pendant toute une vie. Et quand ils me touchent, je l'absorbe en une fraction de seconde. Ils peuvent porter un amour immense en même temps, ça ne compense pas. Jamais. Je ne voulais plus jamais sentir ça. J'ai préféré être interné, c'était le seul moyen. Et là, en l'espace de deux jours, toi, Samuel, et plus aucun mur pour me protéger du monde...

– Je suis désolée, souffla Morgane.

Timothée eut un haussement d'épaules fataliste.

– Et ton père ? l'interrogea-t-elle.

– Mon père... Je crois qu'il a compris bien avant moi ou ma mère que quelque chose clochait. Ou peut-être que ma relation avec ma mère était si intense qu'il a eu l'impression de ne plus avoir de place ? Il est parti quand j'étais tout petit et n'a jamais cherché à me revoir. Il n'y a rien de plus banal que la lâcheté...

– Il te manque ?

– Non.

Morgane tiqua.

– Non, vraiment. Ça semble étrange, j'imagine, mais il ne m'a jamais manqué.

Ils restèrent silencieux un moment. Puis Morgane se retourna vers lui.

– Tu connais l'état de ma mère.

Ce n'était pas une question. Timothée acquiesça.

– N'en parle pas aux autres.

Les sourcils de Timothée se crispèrent légèrement. L'énergie que Morgane avait déployée au cours des années pour garder son secret était colossale. Timothée comprenait ce qui la poussait à séparer ainsi sa vie en deux pans distincts. Il ne pouvait pour autant s'empêcher de penser que ses peurs étaient infondées. Si ses amis du collège avaient appris l'état de sa mère, ils ne l'auraient probablement pas rejetée. Ils l'auraient plainte peut-être, rien de plus. Qui pouvait renier l'amitié d'une fille comme Morgane ?

– Tu sais, lança-t-il, je pense qu'Izia a deviné.

Le visage de Morgane se ferma. Timothée perçut les peurs et la vulnérabilité de la jeune fille sous sa carapace de rire et de lumière. Il eut soudain envie de la prendre dans ses bras.

– Je ne dirai rien, la rassura-t-il.

– Merci.

La main de Morgane jaillit vers le bras de Timothée. Celui-ci bondit aussitôt sur ses pieds.

– Je n'allais pas te toucher, fit Morgane en retirant précipitamment sa main.

Non, elle n'allait pas le toucher, elle se serait arrêtée avant. Mais elle avait eu l'impulsion, sa main s'était approchée de lui.

– Je sais, sourit-il en s'éloignant.

Pourtant, derrière son sourire, quelque chose s'écroula en Timothée. Le temps d'une discussion, il avait eu l'illusion d'entretenir une relation normale avec quelqu'un. C'était faux, comme toujours. Parce qu'une relation normale passait inévitablement par le contact, ces petits gestes amicaux qu'échangent les gens pour marquer leur affection.

Et il n'y aurait jamais droit.

18 h 34

Izia

Après quelques secondes d'hésitation, Izia avait décidé de tout raconter à Lisa – du moins l'essentiel. L'adolescente au fin visage de souris l'avait écoutée en se mordant les lèvres. Si elle n'avait pas bronché à la mention des messages post-mortem de son frère, une lueur nouvelle s'alluma dans son regard quand Izia évoqua la boîte. Jugeant plus sage de taire l'évasion de son cousin Timothée, Izia la laissa s'approcher de l'objet qui émettait un discret cliquetis de disque dur en pleine action.

– Tu veux dire qu'il parle ? demanda Lisa.

– Oui. Enfin là, je crois qu'il est un peu occupé avec l'ordinateur.

Lisa opina lentement, les yeux fixés sur la boîte comme sur un dieu vivant, puis relevant la tête :

– C'est moi qui vous ai envoyé les messages sur Facebook.

– Que... pardon ? s'exclama Izia.

– Nathan était... spécial, soupira Lisa. C'est comme s'il visualisait tous les possibles qui s'offraient à lui, et ce que ces possibles allaient engendrer. Ça faisait de lui quelqu'un de très prévoyant. Il imaginait des tas de scénarios. Certains d'entre eux concernaient sa... propre mort. Un jour il est venu dans ma chambre, il m'a montré un carnet et il m'a demandé, quand il mourrait, de le lire et de suivre les instructions qu'il contenait. Je l'ai envoyé balader. Mais jeudi... son carnet était à l'endroit qu'il m'avait indiqué. Je l'ai feuilleté. Nathan le mettait régulièrement à jour, il y a plein de ratures dedans. J'ai trouvé le mot de passe de son profil Facebook et une série de messages à envoyer. Je l'ai fait.

Abasourdie, Izia s'obligea à refermer la bouche. Elle avait imaginé de nombreuses explications à ces messages post-mortem, mais rien d'aussi... simple.

– Attends, fit-elle, sourcils froncés. Pourquoi une *série* de messages ?

– Un pour toi, un pour une certaine Morgane Fleury, et le dernier pour un mec nommé Samuel Roux.

L'interpellé releva la tête, surpris. Izia lui jeta un regard accusateur.

– Quoi ? se défendit-il en levant les mains. Je n'ai rien reçu !

– T'es sûr ?

Il sortit son smartphone défoncé de la poche arrière de son baggy qui bipa comme si des dizaines de messages venaient d'arriver d'un coup et, une poignée de secondes plus tard, Samuel releva la tête, penaud. Puis il haussa les épaules et reprit son air suffisant.

Izia leva les yeux au ciel.

– Qu'est-ce que ça dit ? demanda-t-elle agacée.

– *Tu n'es pas celui que tu crois. Si tu veux la vérité, remonte à la source. Sois prudent,* récita Lisa avant que Samuel ne daigne ouvrir la bouche.

Remonter à la source. Izia sourit. Nathan avait toujours aimé les énigmes et les sous-entendus. La source, l'endroit d'où ils venaient tous, c'était la clinique des Cigognes. Nathan les avait guidés là-bas sans jamais citer le lieu explicitement. Avait-il peur que quelqu'un d'autre lise ses messages ? Et les avait-il menés à cette clinique uniquement pour en sortir Timothée ? Non. La bonne question était : pourquoi fallait-il évacuer Timothée ? Quel danger le menaçait dans cette clinique où il vivait depuis des années ?

– S'il voulait m'apprendre que je ne suis pas le fils biologique de mon père, lâcha Samuel, c'est pas un scoop.

Izia se demanda si Samuel savait la vérité sur la mort de son père. Dans le doute, elle évita le sujet.

– Je ne crois pas qu'il parle de ça. Plutôt de ces expériences dont on aurait été les sujets. Au fait, si tu n'as jamais reçu ce message, qu'est-ce que tu faisais à la clinique aujourd'hui ?

Un masque de froideur tomba sur le visage de Samuel.

– Ça ne te regarde pas.

– Avoue que c'est une coïncidence bizarre, insista Izia.

Samuel eut un regard tranchant. Puis il haussa une nouvelle fois les épaules.

– Peut-être. Mais ç'en est vraiment une.

Il semblait sincère – pour une fois. *Très bien, va pour la coïncidence...* Izia soupira. Elle ne pouvait s'empêcher de repenser à leurs mystérieux poursuivants. Étaient-ils liés à ceux qui avaient perpétré les fameuses expériences ? Et des expériences de quelle nature ? Trop de questions. Izia avait besoin de réponses.

– *Trouvé !* s'exclama E-Nathan.

Lisa pâlit en entendant la voix déformée de son frère. Elle se précipita avec Izia vers l'ordinateur.

– *Hello frangine.*

– Sa... salut...

Izia coupa court aux retrouvailles virtuelles :

– Nath, qu'est-ce que tu as trouvé ?

– *Vous êtes des super héros, les mecs. Des putains de super héros !*

Samuel se rapprocha, visiblement intéressé.

– Mais encore ? lâcha Izia, imperturbable.

– Manipulations génétiques. C'est ça que Nathan avait découvert. La clinique, sous couvert de procréation médicalement assistée, pratique des hybridations sur les embryons avant de les implanter dans le ventre de leurs mères.

Izia sentit une drôle d'impression grandir en elle. Comme si un voile tombait devant une vérité qu'elle avait toujours connue sans jamais l'avoir formulée.

– Hybridation ? lâcha-t-elle le souffle court.

– *Oui. Essentiellement avec des gènes d'animaux, parfois de plantes.*

– Pourquoi ?

– *Apparemment, ils veulent créer une sorte d'humanité supérieure. Le taux de réussite de leurs expériences est très bas. La plupart des sujets ne sont pas viables. D'autres vivent mais ne développent aucune capacité spécifique. Nathan et vous quatre êtes leurs premières... hum... réussites.*

Reconnaissant la manière de parler du véritable Nathan, Izia ne put s'empêcher de sourire malgré le choc.

– Donc on est censés avoir des capacités particulières ? s'étonna Samuel.

– *Oui, j'imagine.*

Izia et Samuel échangèrent un coup d'œil intrigué qui se changea vite en affrontement. Izia comprit d'emblée quelle était sa capacité, elle le savait depuis longtemps : sa vue. Mais elle n'avait aucune envie d'en informer Samuel, et celui-ci, s'il connaissait son pouvoir, n'avait pas l'air d'être prêt à partager ses informations avec elle. Très bien. Elle enchaîna :

– Sais-tu quelles hybridations nous avons subies ? Quel animal ou plante ?

– *Non, les noms des sujets-tests sont expurgés des documents.*

À ce moment, la porte de la chambre s'ouvrit sur la silhouette d'une petite fille, yeux rougis, l'air hagarde dans son pull trop grand. Son regard se fixa sur l'ordinateur, puis la boîte.

– Nat'a ? demanda-t-elle avec tant d'espoir qu'une émotion puissante s'enroula dans le ventre d'Izia.

Dans le silence qui suivit, personne n'osa bouger. L'enfant fixait la boîte comme si elle voulait s'en emparer par la seule force de sa pensée.

– Nat'a ? répéta-t-elle un peu plus haut.

– *Petit scarabée…*

Le visage de la fillette s'illumina. Le cœur d'Izia se serra un peu plus. Car ce n'était pas Nathan dans cette boîte, pas *vraiment*. Devait-elle briser l'illusion, occulter la lumière qui venait de renaître sur ce petit visage poignant ?

Oui, peut-être le devait-elle.

Mais elle n'en eut pas la force.

Izia s'agenouilla pour se mettre à la hauteur de la fillette restée sur le pas de la porte, lui sourit et murmura :

– Je vais te confier un secret. Un vrai, que tu ne dois dire à personne. D'accord ?

18 h 43

Marc Loizeau

Ignorant la sonnette, le capitaine frappa à la porte de la maison. Les adolescents avaient de nouveau déjoué la surveillance qu'il avait installée et, à présent que le leader d'EVE avait donné des réponses à ses questions, il devenait urgent de les retrouver. Pour eux comme pour lui, évidemment.

L'explosion du bus avait mis le commissariat en ébullition – barrages, patrouilles, le moindre policier avait été sollicité pour organiser la protection de la ville et de sa population. C'était une bonne chose. À présent, le capitaine avait les mains libres, plus personne n'avait le temps de lui demander des comptes. Il avait ordonné qu'on trace le téléphone portable de Morgane sans devoir se justifier. Son collègue l'appellerait dès qu'il obtiendrait un résultat et, avec un peu de chance, il serait en mesure de suivre la jeune fille pas à pas.

Le capitaine Marc Loizeau frappa une deuxième fois à la porte.

La mère de Nathan lui ouvrit, le fit entrer, l'invita à la suivre dans la cuisine où se trouvait son mari. Il s'attabla avec eux, rongé par la culpabilité. Ces gens n'y étaient pour rien, ils ignoraient tout des manipulations de la clinique.

– Comme cela était prévisible, annonça-t-il calmement, l'enquête a confirmé qu'il s'agissait d'un accident. Un tragique accident.

Serrant les poings sous la table, le capitaine affronta sans ciller les regards du couple. Ils étaient d'une tristesse insondable.

Mais aussi pleins d'une reconnaissance dont Marc se serait bien passé.

18 h 54

Samuel

Lisa les raccompagna en bas. L'attention de Samuel fut de nouveau attirée par la cuisine. Les parents de Nathan et Lisa étaient à présent assis autour de la table et discutaient avec une troisième personne qui tournait le dos à l'entrée, cheveux courts d'un blond très clair, veste en cuir noir. Probablement alerté par les bruits de pas, l'homme se retourna. Son visage aux traits fins et aux pommettes hautes affichait une retenue de circonstance dans cette maison en deuil, mais un éclair de surprise traversa son regard lorsqu'il croisa celui de Samuel. Un instant, l'adolescent se demanda s'ils se connaissaient. Puis il sentit qu'Izia le tirait vers la sortie et se laissa entraîner.

– C'est qui ce type ? souffla-t-il en passant la porte.

– Le flic qui enquête sur la mort de Nathan, murmura Izia. Celui que Morgane connaît. Je l'ai vu au collège le jour de l'accident.

– Enquête, c'est vite dit, observa Lisa, la mine sombre.

– Il... balbutia Samuel.

Izia le fixa, attendant la fin de sa phrase.

– Non, rien, lâcha-t-il en secouant la tête.

Il virait parano. Le flic lui avait fait une impression bizarre, OK, mais si Samuel détestait les uniformes, il n'allait pas commencer à imaginer que même les policiers en voulaient à sa vie...

– Faites attention à vous, leur recommanda Lisa. Et à lui aussi, ajouta-t-elle en désignant la boîte qu'Izia tenait dans ses mains.

– Promis, fit celle-ci avec un sourire rassurant.

Ils la quittèrent et contournèrent la maison pour rejoindre Timothée et Morgane.

– Ne dis pas à Morgane que le flic est là, marmonna Izia, sinon elle voudra lui parler.

19 h 06

Morgane

Morgane sentit ses jambes se dérober.

– Des manipulations génétiques ? demanda-t-elle à Izia, le souffle court.

– Il semblerait.

– C'est... murmura Timothée, profondément troublé. C'est énorme ! Ça expliquerait tellement de choses...

Morgane n'écoutait plus. Lentement, elle se laissa à nouveau tomber sur le trottoir de la ruelle. Un maelström d'émotions se déchaînait dans son esprit. Ce n'était pas la révélation d'Izia en elle-même qui la mettait dans cet état, plutôt ce qu'elle impliquait.

Sa mère avait raison.

Ce légume de mère dont elle sentait le poids peser chaque jour sur ses épaules et ses pensées, internée en service psychiatrique quelques mois après sa naissance à cause de crises de paranoïa.

Paranoïa.

Les médecins et son père lui avaient tellement répété qu'il ne fallait pas prêter attention aux délires de sa mère que pas un instant Morgane n'avait imaginé qu'ils étaient le reflet d'une quelconque vérité. Brusquement, les mots de sa mère se chargeaient d'un sens nouveau. *Ils m'ont privée de toi. Je n'ai pas su te protéger...*

Elle savait que sa fille avait été l'objet de manipulations génétiques.

Bien sûr qu'elle savait.

De nouveaux rouages s'imbriquèrent dans l'esprit de Morgane. Avant d'être internée, sa mère avait travaillé dans cette clinique au service de procréation assistée. Elle était médecin, chercheur en bio-ingénierie. Faisait-elle partie de l'équipe d'apprentis sorciers qui se livraient à des manipulations génétiques ? C'était possible. Pire, probable, logique.

Cette nouvelle remettait en cause tout ce que Morgane avait toujours su à propos de sa mère. D'abord, elle n'était pas folle. Du moins ne l'avait-elle pas été au départ. Que s'était-il passé ? Avait-elle voulu dévoiler leurs recherches ? Toujours est-il que quelqu'un avait tout fait pour la réduire au silence, la gardant sous surveillance, l'assommant de médicaments. On avait détruit la femme brillante qu'elle était. Et privé Morgane de sa mère.

Une flamme de colère vive embrasa son ventre, chassant les larmes qui menaçaient de déborder.

De ce brasier naquit une détermination sans faille, identique à celle qui la poussait à s'entraîner jour après jour devant le miroir de sa chambre.

Morgane ignorait ce qui s'était passé avant sa naissance, ce qui avait conduit à l'internement de sa mère. Mais elle pressentait que sa mère, autrefois connue comme le professeur Fleury, était liée aux événements inquiétants qui se déroulaient aujourd'hui, et que ses anciens collègues ne lui voulaient pas du bien. Si Timothée n'était pas en sécurité là-bas, elle ne l'était pas non plus.

– On doit y retourner, lâcha-t-elle brusquement, interrompant le monologue d'Izia.

– Retourner où ? demanda celle-ci.

– À la clinique.

– Explique, fit Izia en croisant les bras.

Morgane hésita. Pendant des années, elle avait voulu cacher aux autres la folie de sa mère. Mais sa mère n'était pas folle, on avait voulu la faire taire. Désormais le secret n'avait plus de sens. Au contraire. La meilleure manière de découvrir la vérité était de partager ses hypothèses.

Un grand calme tomba en elle.

– Ma mère est internée là-bas, dit-elle lentement.

Elle retint sa respiration, leva les yeux vers les autres, debout sur le trottoir. Sur leurs visages, ni pitié ni dégoût. Seulement une franche surprise sur le visage de Samuel.

– Comment s'est-elle retrouvée là ? questionna Izia, pragmatique.

Morgane se remit à respirer. Elle exposa ce qu'elle savait sur l'ancien métier de sa mère, puis les quelques éléments glanés çà et là sur sa naissance et les mois qui avaient suivi.

Elle décrivit son état, les phrases étranges qu'elle prononçait parfois et que Morgane avait toujours pris pour de la paranoïa. Et à mesure qu'elle parlait, que les mots si longtemps retenus trouvaient le chemin de sa bouche, il sembla que l'air autour d'elle devenait plus léger.

Finalement, Morgane se tut.

Une angoisse sourde battait la mesure dans son ventre, la peur de voir quelqu'un blesser sa mère, si vulnérable, corps trop maigre perdu dans les draps blancs de son lit. Pourtant, un sourire s'allongea sur ses lèvres. Son lourd secret avait volé en éclats. Elle était libre.

Vérité.

Enfin.

Morgane ne s'était pas sentie aussi bien depuis le jour lointain où elle avait enfilé son premier justaucorps.

– On va la chercher, déclara Timothée, surprenant tout le monde. Mais il nous faut un plan.

Il balaya les alentours d'un regard inquiet avant d'ajouter :

– Filons d'ici.

19 h 23

Samuel

Samuel gratta le pansement sur son front. La plaie le démangeait, pire qu'une piqûre de moustique.

– On a de la visite ? lança-t-il à Timothée en lui emboîtant le pas.

– Ça se pourrait.

– Shit ! pesta Izia. Je croyais qu'on les avait semés après l'explosion du bus.

Sans plus de commentaires, ils se mirent à courir. Samuel nota que Timothée s'était éloigné des autres de deux bons mètres. Il avait beau juger ses capacités flippantes, c'était quand même pratique d'avoir un tel radar à émotions avec soi.

– J'ai l'impression d'avoir passé la journée à courir, grogna Izia, les mots hachés par sa respiration.

Samuel songea une nouvelle fois qu'ils facilitaient le travail de leurs poursuivants en restant groupés. D'un autre côté, il n'avait pas franchement envie de se retrouver seul. Après deux mois d'errance en solitaire, la compagnie de gens de son âge lui faisait du bien.

– Où est-ce qu'on va ? s'inquiéta Morgane.

– *Trouvez un endroit où vous pourrez vous reposer et décider de la suite*, suggéra E-Nathan depuis la main de Timothée.

– Toujours là, freaky boy ?

– *Toujours, tu sais bien*, déclara-t-il avec une pointe de tendresse qui horripila Samuel. *Mais je vais bientôt avoir besoin de recharger mes batteries.*

– Je crois que tu n'es pas le seul, murmura Timothée.

Et même s'il aurait préféré se couper un bras plutôt que de l'avouer, Samuel était d'accord avec lui.

Izia sourit.

– J'ai la planque parfaite.

Elle accéléra brusquement le rythme de sa course et fila en direction d'Intra-Muros. Essoufflé, Samuel colla ses foulées à celles de la jeune fille sans se laisser distancer. Question de fierté.

– On est obligés de courir aussi vite ? protesta Timothée dans leur dos.

Izia et Samuel se jaugèrent du regard. Il refusa de ralentir le premier. Izia était aussi butée que lui. Avec un petit sourire, elle accrut encore l'allure en passant les écluses.

– Bitch... murmura Samuel.

Il faillit éclater de rire en se rendant compte que la manie d'Izia de jurer en anglais était en train de le contaminer. Il se retint pourtant, préservant son énergie pour rattraper la jeune fille qui slalomait entre les promeneurs sur les quais où s'alignaient voiliers et vieux gréements. Elle vira soudain à gauche, traversa la rue et s'engouffra sous une porte qui trouait les remparts.

– Les gars, sérieux... lâcha Timothée derrière lui à bout de souffle.

Sans la moindre pitié, Samuel fonça vers la porte par laquelle venait de disparaître Izia.

Elle voulait la guerre ?

Elle l'aurait !

Veillée d'armes

19 h 50

Timothée

– *À gauche, mec !*

Suivant les instructions d'E-Nathan, Timothée et Morgane tournèrent devant la devanture du glacier. Ils aperçurent Samuel et Izia devant la porte d'un immeuble de granit semblable à tous ceux qui se trouvaient dans l'enceinte des remparts. Timothée ralentit, s'arrêta à leur hauteur et s'appuya contre la façade pour reprendre son souffle. Il ne faisait pas beaucoup d'exercice à la clinique, contrairement à Morgane qui ne donnait pas l'impression d'avoir forcé.

Il se redressa. Izia déverrouillait la porte avec un sourire satisfait.

– J'avais pas remarqué qu'on faisait la course, se défendit Samuel avec mauvaise foi. Et puis je savais pas où on allait, je risquais pas d'arriver le premier…

– Bien sûr, lâcha Izia sans se départir de son sourire.

Elle entra. Timothée se hâta de la suivre dans un petit vestibule encombré de manteaux d'homme. Tout à l'heure, il avait perçu des esprits menaçants autour d'eux, et ils avaient beau avoir traversé la moitié de la ville au pas de course, la sensation était toujours présente, comme un étau d'hostilité en train de se resserrer. Il se sentit mieux une fois à l'intérieur.

En face d'eux, un escalier montait au premier étage, un autre descendait sur la gauche. Izia ferma la porte, donna un tour de clef, les entraîna en bas.

Lorsqu'elle alluma la lumière, Timothée se retrouva en terrain familier. Carrelage blanc, étagères métalliques, compresses et gants stériles. La pièce aurait pu appartenir à la clinique qu'il venait de quitter, si on faisait abstraction des tables à dessin et des photos de tatouages encadrées sur les murs.

– Cool, apprécia Samuel. On est où ?

– Chez mon père. Il est parti en voyage ce midi.

– Chez ton père ? s'étrangla Timothée. Tu ne crois pas que vos domiciles sont les premiers endroits où on va nous chercher ?

– On reste au sous-sol, on n'allume aucune lumière. Depuis la rue, personne ne devinera qu'on est là. Et puis il s'agit juste d'attendre quelques heures avant de retourner à la clinique.

Timothée acquiesça, tendu. Après tout, cet endroit en valait bien un autre. Car où qu'ils fuient, où qu'ils se terrent, leurs poursuivants semblaient capables de les localiser.

– Ton père est tatoueur ? demanda Samuel en détaillant les photos au mur.

– Quel sens de l'observation, Sherlock !

Samuel se renfrogna. Timothée sourit en le regardant s'affaler, l'air furieux, dans un gros fauteuil de cuir. Parfois, avoir le don d'empathie se révélait amusant. Il devinait ce que les gens ressentaient avant même qu'ils le comprennent.

Et entre ces deux-là, les étincelles n'étaient pas près de s'éteindre...

19 h 57

Morgane

En quête d'intimité, Morgane remonta dans le vestibule. Son père ne tarderait pas à aller la chercher à la danse. Elle devait l'appeler avant qu'il découvre son absence.

– *Salut chaton ! Déjà sortie ? Je suis en retard...*

– Non non, on a fini plus tôt aujourd'hui.

Morgane n'aimait pas mentir, surtout à son père. Une part d'elle-même avait envie de tout lui raconter, mais elle ne voulait pas l'inquiéter, ni trahir les autres.

– Papa, je peux dormir chez Marie ce soir ?

– *Marie ?*

– Tu sais, une amie de la danse.

– *Tu as trop d'amies pour que je retienne tous leurs noms !*

– Brune, petite, jolie. Je peux ?

– *Ses parents sont d'accord ?*

– Bien sûr.

– *Elle habite où ?*

– Intra-Muros.

– *OK. Appelle-moi demain matin que je vienne te chercher.*

– Merci papa, t'es le meilleur des papas !

Il laissa échapper un grognement bourru. Son père avait du mal à lui refuser quoi que ce soit, ils en étaient tous les deux conscients et c'était un sujet récurrent de plaisanterie entre eux.

– *N'en fais pas trop quand même.*

Morgane sourit.

La nuit tombait au-dehors et les ombres envahissaient peu à peu le vestibule. Elle jeta un coup d'œil par la petite fenêtre qui trouait le mur à côté de la porte d'entrée. Quelques promeneurs se dirigeaient vers la crêperie d'en face. Instinctivement, Morgane recula derrière le portemanteau pour ne pas être vue.

– *Bonne soirée ma puce, à demain.*

– Papa…

– *Oui ?*

Morgane hésita. Ils parlaient peu de sa mère, probablement parce que Morgane avait du mal à soutenir la tristesse qui hantait les yeux de son père dès qu'ils évoquaient le sujet. Pourtant, chaque information qu'elle obtiendrait pourrait être vitale. Et puis elle avait besoin de comprendre d'où elle venait. Elle inspira, déglutit, se lança :

– Tu ne t'es jamais dit que peut-être… qu'à l'époque, après ma naissance… enfin que peut-être maman avait raison ? Qu'elle était vraiment menacée ?

Un long silence lui répondit. Puis :

– *Si. Bien sûr. C'était… c'est ma femme, Morgane, j'ai commencé par la croire. Mais il n'y avait aucune menace réelle.*

– Pourquoi a-t-elle été internée ? Je veux dire, à quel moment tu as pris la décision ? C'est toi qui l'as prise, n'est-ce pas ?

– *Oui. On l'a fait interner parce que la situation devenait dangereuse pour toi. Elle… on l'a trouvée en train de pratiquer des… tests.*

Izia passa discrètement dans le vestibule pour monter à l'étage. Morgane attendit qu'elle disparaisse avant de demander :

– Des tests… sur moi ?

– *Oui, dans son laboratoire à la clinique. Ses collègues l'ont surprise. Je ne pouvais pas… je ne pouvais pas la laisser s'en prendre à toi, tu comprends ?*

La voix de son père était hésitante, comme rongée par les souvenirs. Morgane sentit son cœur se fendiller.

– Oui. Je comprends papa.

L'angoisse de Morgane enflait. Les nouvelles pièces du puzzle ne faisaient que confirmer ses craintes. Sa mère, le professeur Fleury, faisait partie de l'équipe de chercheurs de la clinique. Elle connaissait forcément le détail de leur travail. Pourtant, elle avait effectué des tests sur sa fille à sa naissance, probablement pour vérifier si son ADN avait été manipulé.

Elle n'avait donc aucune certitude sur la question. Ses collègues auraient-ils œuvré à son insu ? Modifié son bébé sans le lui dire ? Dans ce cas, ils étaient probablement ceux qui l'avaient internée pour étouffer l'affaire.

– *Morgane ?*

– Je suis là.

– *Je... Je suis content que tu me poses ces questions. Je ne prétendrais pas que c'est facile pour moi d'y répondre. Mais c'est important. Je sais que ce n'est pas évident pour toi de la voir dans cet état depuis si longtemps...*

Morgane sourit.

– Heureusement, je t'ai toi.

– *Et heureusement que je t'ai toi. Tu es sûre que tu ne veux pas passer la soirée avec ton vieux père ?... Non. Non, excuse-moi. Amuse-toi bien avec ton amie. Bonne soirée, ma puce !*

Il raccrocha précipitamment.

20 h 06

E-Nathan

– Nath ?

– *Oui, mec ?*

– Il y a un truc que je ne suis pas sûr de comprendre...

– *Quoi donc ?*

– Ces messages que tu as fait envoyer à Izia, Morgane et Samuel, ils étaient assez énigmatiques. Pourquoi est-ce que tu ne leur as pas annoncé clairement ce que tu avais découvert ?

– *Parce qu'ils ne m'auraient pas cru. Parce que quelqu'un d'autre aurait pu intercepter le message. Parce que tu ne serais jamais sorti de cette foutue clinique tout seul. Parce que j'avais confiance en toi et Izia pour chercher la vérité. Et parce que j'ai voulu vous rassembler. Nous rassembler.*

– ...

– *Entre monstres, faut se serrer les coudes.*

20 h 11

Samuel

Samuel se redressa dans le fauteuil.

À l'autre bout de la pièce, Timothée chuchotait avec la boîte. Le fou et la chose. Très bien, qu'ils restent ensemble ces deux-là, et surtout loin de lui. Samuel se renfonça dans le moelleux du cuir. Il était crevé mais ne parvenait pas à se reposer. La crainte d'être retrouvés se mêlait à l'excitation enivrante de leurs découvertes. Il était *plus* qu'un homme. Cette boîte et la technologie impressionnante qu'elle renfermait avaient beau le mettre mal à l'aise, une phrase prononcée par E-Nathan le hantait délicieusement. *Vous êtes des putains de super héros, les mecs.*

Un super héros… Pas de doute, l'idée était séduisante ! Elle expliquait les pouvoirs de Timothée. Mais Samuel avait beau y réfléchir, il ne devinait pas quelle était sa propre… modification. Il aurait pourtant dû s'en apercevoir, depuis le temps. Songeur, il gratta les strips de son front, passa une main sur sa nuque, soupira.

Puis, incapable de tenir en place, il bondit sur ses pieds pour aller voir ce que faisaient les filles.

20 h 16

Izia

– Rappelle aux autres de ne pas allumer les lumières, fit Izia en empilant matelas gonflables, duvets et coussins dans les bras de Morgane. Les petites lampes au sous-sol, et c'est tout.

– Hey, on pourrait mettre des bougies ! s'exclama Morgane, ravie.

Izia se figea, dévisagea Morgane, vit qu'elle ne plaisantait pas.

– Heu… ouais, si tu veux. Y en a dans la cuisine, le meuble au-dessus de l'évier.

Des bougies ? Seriously ? Et après on enfilerait tous des pyjamas et on se raconterait des légendes urbaines en grillant des Chamallows, youpi ! *Cette fille est un cliché vivant*, pensa-t-elle amusée en regardant Morgane descendre l'escalier obscur, un mille-feuille de moelleux entre les bras.

En même temps, songea Izia, si des bougies aidaient Morgane à se sentir à l'abri, tant mieux. Car vu la nervosité qui régnait dans la maison, tout était bon pour se donner ne serait-ce qu'une illusion de sécurité.

Izia tourna les talons, regagna sa chambre, décrocha son téléphone.

– *Allô ?*

– Hello maman. Je peux dormir chez une copine ce soir ? Elle s'appelle Morgane, on est au collège ensemble.

Habituée à la concision verbale d'Izia, sa mère se contenta d'éclater de rire.

– *Mais dis-moi, ma chère fille, serait-ce une ébauche de vie sociale ?*

Izia leva les yeux au ciel. Sa mère était si mondaine qu'elle peinait à comprendre pourquoi sa fille préférait le plus souvent rester seule plutôt que de passer du temps avec les gens de son âge.

– Il y a un début à tout.

– *Tu m'en vois ravie !*

Quelques minutes plus tard, Izia raccrocha avec l'autorisation parentale. Elle écarta d'une main le voile qui obstruait la fenêtre et inspecta la ruelle.

– C'est pas beau de mentir, persifla Samuel depuis la porte.

Izia fit volte-face, lui lança un regard noir, puis revêtit un masque d'indifférence. Mentir ne lui faisait ni chaud ni froid.

– Tu peux parler. Ta mère sait où tu es, peut-être ?

Samuel grimaça puis, avec un sourire qui creusait de fines fossettes à la commissure de ses lèvres, il entra dans la chambre comme un prince dans son palais. Izia tiqua. Ici comme chez sa mère, sa chambre était son sanctuaire, le lieu de ses délires créatifs, tel un journal intime composé d'objets étranges et désuets. Même s'il faisait sombre, la lumière des réverbères se déversait par la fenêtre, dévoilant bien trop de recoins au goût d'Izia. Et Samuel détaillait son univers sans la moindre gêne.

– Tu... tu connais Def Leppard ? s'étonna-t-il, visiblement impressionné, en fixant un poster sur le mur.

– À ton avis.

– Mon père adorait ce groupe, confia-t-il, les yeux dans le vague.

Pour la première fois depuis qu'elle le connaissait, Izia eut la fugace impression qu'il abaissait ses défenses.

– Pareil pour moi, il m'a fait découvrir la plupart des trucs que j'écoute. Viens m'aider, dit-elle pour couper court à l'inspection.

– À vos ordres, boss.

Izia fourra une boîte à outils dans les mains de Samuel.

– C'est pour quoi ?

– Améliorer E-Nathan.

Mais Samuel ne l'écoutait déjà plus. Il abandonna la boîte à outils sur le lit et s'approcha de sa collection de vinyles avec un sifflement admiratif. Izia soupira, excédée.

– Bowie. Pink Floyd. Joy Division. Queen. Ça vient d'où tout ça ? demanda-t-il en parcourant les pochettes.

Elle se força à rester calme tandis qu'il poursuivait ses investigations.

– Donnés, achetés, récupérés.

Il se retourna vers elle avec un sourire malicieux.

– ... Volés ?

– Certains, avoua-t-elle sans la moindre honte. Viens, on rejoint les autres. Il vaut mieux se cacher au sous-sol.

Mais Samuel ne bougeait pas. Et il la dévisageait avec une insistance qui devenait franchement gênante.

– En fait, tu es comme moi, affirma-t-il.

– Dans tes rêves.

– Tu mens, tu voles, tu n'aimes pas perdre et tu écoutes Def Leppard.

– Rien à voir. Je ne suis pas comme toi. Je ne déteste pas le monde entier.

Samuel se releva et avança vers elle.

– Tu rigoles ! T'es tout le temps toute seule, t'aimes pas les gens.

– J'aime certaines personnes. Pas les crétins, c'est tout. S'ils sont débiles ce n'est pas leur faute. Mais je préfère rester loin de leur connerie. D'ailleurs, t'as pas autre chose à foutre ? Tu pollues ma chambre, là.

– Tu ne les détestes pas, observa Samuel sans relever les attaques d'Izia, tu ne veux pas leur parler. Tu joues sur les mots, là...

– Un jeu clairement hors de ta portée, siffla Izia en reculant vers la porte, t'aurais pas dû sécher les cours.

Samuel sourit, se rapprocha encore.

– Tu dis ça parce que t'es en colère.

Izia était en effet au bord de l'implosion. C'était comme si les mots glissaient sur Samuel. Malgré le contre-jour, elle distinguait parfaitement son sourire moqueur, et cela ne l'énervait qu'un peu plus.

– On est à court de venin ? souffla-t-il en s'arrêtant à quelques centimètres d'elle.

– Pour toi ? Jamais.

Ils se défièrent un moment du regard. Samuel portait un déodorant musqué qui ne parvenait pas à cacher qu'il n'avait pas pris de douche depuis deux jours, et son haleine chaude arracha à Izia un frisson de dégoût – du moins, elle l'identifia comme tel. Refusant de céder la première dans leur affrontement muet, elle ne bougea pas d'un pouce.

Soudain, les lèvres de Samuel se retrouvèrent sur les siennes.

Trop surprise pour réagir, Izia se laissa faire un instant. Puis elle bondit en arrière. Sa main partit toute seule, se regroupa en un poing, frappa le visage de Samuel. Celui-ci se redressa, massant sa mâchoire endolorie.

– La vache ! T'aurais pu te contenter d'une baffe...

– Dégage, cria Izia furieuse. Dégage !

Il n'insista pas et s'éclipsa vers l'escalier, son sourire exaspérant collé aux lèvres. Izia resta seule dans l'obscurité, tremblante de rage. Ses lèvres picotaient.

Elle passa une main dessus pour chasser la sensation et s'écroula au bord du lit.

Merde...

Izia était aussi douée pour mentir que pour énoncer aux autres des vérités désagréables, mais elle était incapable de se mentir. Et dans la catégorie « vérité désagréable », celle qui venait de lui tomber dessus méritait un Oscar.

Samuel l'avait embrassée.

Et elle avait aimé ça.

20 h 38

Morgane

Morgane inspecta les placards de la cuisine les uns après les autres. Elle était plus déterminée que jamais à sortir sa mère des griffes de ses anciens collègues, mais une chose était sûre : ils n'arriveraient à rien le ventre vide, surtout qu'elle et Izia avaient zappé le déjeuner.

– Ah ! s'exclama-t-elle en découvrant un sachet de spaghettis à peine entamé et un pot de sauce bolognaise.

Des bruits de pas dans l'escalier. Elle aperçut Izia qui descendait de sa chambre avec une grosse boîte métallique dans les bras.

– Pâtes ou pâtes ? demanda-t-elle en brandissant le paquet de spaghettis.

Soudain, Izia sauta d'un bond les dernières marches et la repoussa brutalement dans l'obscurité de la cuisine. Morgane étouffa un cri de surprise.

– Chhhut !

Izia posa la boîte sur le sol, s'aplatit contre la cloison, glissa discrètement un regard vers l'entrée. Morgane la fixa, les yeux écarquillés, jusqu'à ce qu'Izia lui fasse signe de la rejoindre. Accroupie derrière la porte entrebâillée, elle jeta à son tour un coup d'œil dans le vestibule. Son sang se glaça.

Un visage était collé derrière la vitre de la fenêtre près de la porte d'entrée.

Morgane fixa Izia avec horreur. Son cœur battait à toute allure.

Puis l'homme derrière la vitre recula, son visage accrocha un rayon de lumière et Morgane le reconnut. L'angoisse reflua immédiatement.

– Marc ! chuchota-t-elle joyeusement. C'est Marc !

Elle fit mine de se relever pour ouvrir au policier qu'elle connaissait depuis l'enfance, mais Izia posa une main sur son épaule et la retint.

– Attends. Il n'est pas seul.

20 h 41

Timothée

Timothée releva brusquement la tête.

– Oh non… murmura-t-il.

– *Un problème, mec ?* demanda E-Nathan.

– Possible, fit Timothée en se dirigeant vers l'escalier.

Il avait toujours tendance à douter de ses perceptions. Mais cette haine gluante qui flottait dans l'air, il l'avait déjà sentie avant que la bombe n'explose dans le bus.

Il contourna Samuel, affalé dans le fauteuil en cuir, un sourire suffisant sur les lèvres.

– Debout, ordonna Timothée, on a de la visite. Tu sais où sont les filles ?

Samuel désigna l'étage du menton, puis il sauta sur ses pieds et lui emboîta le pas sans discuter. Ils remontèrent silencieusement vers le rez-de-chaussée. Arrivé aux dernières marches, Timothée fit signe à Samuel de s'arrêter, vérifia d'un coup d'œil qu'il n'allait pas lui rentrer dedans et s'immobilisa. L'impression désagréable venait de l'entrée, à droite. Des gens rôdaient dehors, éclipsant la lumière orangée des lampadaires chaque fois qu'ils passaient devant la fenêtre. Ils étaient là pour eux.

Mais où sont les filles, bon sang ?

La porte de la cuisine qui s'ouvrait face à l'escalier bougea légèrement. Timothée devina le visage d'Izia qui le regardait, un doigt sur la bouche, puis Morgane apparut juste en dessous.

Timothée respira.

Les filles allaient bien, et elles étaient conscientes de la menace.

Ou pas.

– C'est un ami, souffla Morgane suffisamment fort pour qu'Izia la bâillonne d'une main.

Izia et Timothée échangèrent un regard éloquent. Non, ce n'était certainement pas un ami qui se tenait là dehors. Et si elle continuait, Morgane allait trahir leur présence.

– Qu'est-ce qu'il se passe ? murmura Samuel.

Timothée se tourna vers lui.

– Ces mecs dehors nous cherchent, mais je ne pense pas qu'ils sachent qu'on est là. Morgane est persuadée d'avoir affaire à des amis.

Samuel s'avança, jeta un coup d'œil à la porte de la cuisine, puis un autre en direction de l'entrée.

– Je m'occupe d'elle, fit-il.

Et il jaillit vers la cuisine, traversant d'un bond l'étroit vestibule avant que Timothée puisse protester.

20 h 44

Izia

Voyant une ombre fuser vers elle, Izia recula brusquement.

Samuel.

Il n'y avait que lui pour faire un truc aussi débile.

Il lui adressa un grand sourire, visiblement fier de son exploit. Elle lui lança un regard aussi noir que sa colère, puis détourna les yeux. Son abruti de cœur piquait un sprint dans sa poitrine. Heureusement que l'attention de Samuel était dirigée vers Morgane – *comme d'habitude*, pensa Izia avec une soudaine pointe d'amertume.

Il saisit sans ménagement les délicats poignets de la jeune fille et planta un visage féroce à quelques centimètres du sien.

– On va tous s'asseoir à cette table, souffla-t-il d'un ton sans appel, et tu ne bougeras pas avant que la rue soit vide. Pigé ?

– Je...

– Et pas un mot, la coupa-t-il en l'entraînant.

Morgane soupira, le suivit sans plus de protestations et se jucha sur un tabouret. Izia resta là où elle était. Samuel avait été efficace, elle lui accordait ce point. Et une dérangeante part de son esprit brûlait de détailler les fossettes du garçon.

Mais il était hors de question qu'elle s'asseye face à lui.

20 h 49

Marc Loizeau

L'ombre d'un sourire glissa sur les lèvres du capitaine. Il prit soin de l'effacer avant de se retourner vers ses compagnons.

– Personne ici. Allons voir chez Timothée Maclum.

– Sûr ? demanda une femme au visage dur. Tu disais que le signal du portable venait de cette maison...

– Oui. Mais ça ne garantit pas que Morgane s'y trouve.

– On devrait entrer pour vérifier.

La femme glissa une main sous sa veste pour saisir la crosse de son arme. Marc Loizeau soupira, désigna du menton la crêperie de l'autre côté de la rue.

– Trop de gens pour qu'on force la porte. Les ados ont déjà dû repartir en laissant leurs téléphones derrière eux. Ils savent que nous sommes à leur poursuite, vous n'avez pas vraiment joué la carte de la discrétion.

La femme le défia un moment, puis se détourna.

– Très bien, lâcha un grand brun à la moustache parfaitement taillée. Allons voir chez le garçon.

21 h 05

Morgane

Un interminable quart d'heure plus tard, Timothée rejoignit les autres dans la cuisine, E-Nathan dans la main.

– Ils sont partis, annonça-t-il.

– *Il faut que je réalise quelques recherches pour trouver qui sont ces gens. Iz', tu me fais les modif' dont on a parlé ?*

– Le port wifi ? Je m'y mets.

– Tu es sûr que c'est une bonne idée ? demanda Timothée inquiet.

– *T'en fais pas, mec, Iz' est la personne en qui j'ai le plus confiance avec un tournevis dans la main. Elle a des doigts de fée.*

Samuel laissa échapper une exclamation ironique à laquelle personne ne prêta attention. Morgane n'écoutait que d'une oreille. Marc… C'était un ami de lycée de sa mère. Morgane ne pouvait pas croire qu'il lui veuille du mal, ça n'avait pas de sens.

– OK, lâcha Timothée en tendant la boîte à Izia. Et tu as une piste ? Une idée sur l'identité de ces types qui nous cherchent ?

– *Plus ou moins, peu de gens ont eu accès à la liste de nos noms. Il y a les agents de sécurité de l'hôpital, les scientifiques qui ont modifié notre ADN, éventuellement quelques personnes qui travaillent pour eux, et Joy.*

– Joy ?

– *Le hacker qui m'a aidé à craquer l'intranet de la clinique.*

– Tu penses qu'il t'a trahi ? Qu'il a vendu l'info ?

– *Possible… C'est ce qu'il faut que je vérifie. Il est très fort, mais sur le net, on laisse forcément des traces. Et puis je le connais, je sais comment il procède.*

Timothée hocha la tête.

– Si tu le dis. Bossez bien alors.

– En attendant, lâcha Izia dès qu'il fut sorti, on devrait couper nos portables et virer leurs cartes SIM. Marc est flic. Il peut les tracer.

Morgane releva vivement la tête. Sa main se referma sur le téléphone glissé dans la poche de sa veste. Elle était attachée à cet objet, mais plus que tout, il représentait le seul moyen d'appeler les secours si quelque chose tournait mal. Ce qui au vu de leur situation et de ce qu'ils s'apprêtaient à faire à la clinique était possible. Pire, probable. Et quoi que les autres en pensent, Marc n'essayait pas de les tuer. Pas son Marc. Aussi elle imita les gestes de Samuel et d'Izia qui ouvraient leurs téléphones pour retirer le petit rectangle de plastique.

Mais avant de refermer la coque, elle remit discrètement la carte SIM en place.

21 h 16

Izia

Izia récupéra sa boîte à outils et la posa sur la table. Son regard croisa celui de Samuel. Il voulut intervenir, mais elle feignit l'indifférence d'une manière si convaincante qu'il battit en retraite et retourna au sous-sol avec Timothée.

Izia saisit un tournevis et s'attaqua à la boîte.

Elle sourit. Bricoler la détendait. Elle était dans son élément. Le contenu de l'objet était si complexe qu'elle devait être tout à sa tâche pour ne pas risquer d'endommager E-Nathan.

– Comment t'arrives à bidouiller ce truc dans le noir ? demanda Morgane. On y voit que dalle…

Izia ne répondit pas.

Elle aperçut du coin de l'œil Morgane qui allumait la gazinière.

– Encore faim ? sourit-elle.

– Oui ! Ça m'évite de penser. J'ai du mal à imaginer que Marc puisse…

Izia releva franchement la tête.

– … vouloir nous tuer ? compléta-t-elle.

– Oui. Ça ne lui ressemble pas. Et puis, il est policier.

Izia délogea avec précaution le circuit imprimé. Morgane se mit à faire les cent pas dans la cuisine qui ne devait pas excéder six mètres carrés – une véritable performance. Sa nervosité était si communicative que l'atmosphère devint vite irrespirable.

– Tu connais bien Samuel ? lança brusquement Morgane.

Izia la dévisagea. Le baiser brûlait encore sur ses lèvres et elle se demanda si cela se remarquait. Morgane, penchée sur sa casserole de pâtes, ne semblait rien soupçonner.

– Suffisamment pour le fuir, lâcha finalement Izia.

– Tu sais pourquoi il est… comme ça ?

– Aussi con, tu veux dire ?

Morgane sourit.

– Aussi paumé, plutôt.

– Il est assez sûr de lui, le dude.

– Tu parles ! Il fait comme s'il se fichait de tout et de tout le monde, mais c'est que de la gueule. Il a tellement la trouille d'être jeté qu'il s'arrange pour qu'on le déteste. C'est plus simple.

Izia la dévisagea longuement. Morgane était peut-être une petite princesse agaçante, mais son raisonnement sonnait juste. Étrange qu'une fille si entourée soit capable de se glisser avec autant de facilité dans la peau d'un loser sociopathe. Quoique non, pas si étrange. Si au collège, Morgane ne se déplaçait jamais sans sa cour, après ce qu'elle leur avait raconté sur sa mère, elle devait aussi connaître intimement la solitude et le rejet.

– Je crois que je sais d'où ça vient, oui...

En temps normal, Izia ne se serait jamais laissée aller à ce genre de confidences. Mais elle était furieuse que Samuel l'ait embrassée. Et furieuse d'avoir aimé ça.

Une rage suffisante pour entrouvrir les vannes du secret.

21 h 48

Samuel

– Les grilles du parc sont fermées pendant la nuit, fit Morgane en enroulant des spaghettis sur sa fourchette, comment on entre dans la clinique ?

– Le mur n'a pas l'air difficile à escalader, répondit Izia, ça devrait aller.

D'autant que je l'ai déjà fait, pensa Samuel sans intervenir.

– *En effet*, confirma E-Nathan, *le vrai problème, c'est de pénétrer à l'intérieur du bâtiment. Toutes les entrées sont gardées.*

– Gardées ?

– Par de vrais gardes, lâcha Timothée, qui passent aussi dans les couloirs. Je pense qu'ils connaissent tous les patients et le personnel, au moins de vue.

Izia laissa échapper un petit sifflement.

– Ce n'est pas une clinique, c'est une forteresse !

Samuel les écoutait, affalé à la romaine sur un matelas pneumatique, le nez plongé dans son assiette. Le repas aux bougies dans le sous-sol aseptisé s'était vite transformé en conseil de guerre pour libérer la mère de Morgane. Si elle était mêlée à ces histoires de manipulations génétiques, elle était peut-être en danger. Ou pas. Et retourner se jeter dans la gueule du loup alors que, même planqués, ils avaient du mal à échapper à ses crocs, n'était sûrement pas l'idée du siècle.

Pourtant, il savait qu'ils devaient retourner là-bas, la clinique était le seul endroit où ils trouveraient des réponses à la litanie de leurs questions : quelles étaient leurs modifications, pourquoi leur avait-on fait cela, et qui cherchait à les tuer. Entre passer le reste de sa vie à se planquer et aller à la pêche aux infos, Samuel préférait l'action. Et il n'y avait pas de temps à perdre.

– On pourrait créer une diversion pour attirer les gardes dans l'aile de natalité, proposa Izia.

Morgane et Timothée approuvèrent. Une fois de plus, Samuel se tut, gardant ses réserves pour lui. Morgane savait se montrer convaincante.

Il releva la tête et détailla le visage de la jeune fille. Ses traits délicats et réguliers lui donnaient des allures d'elfe. Morgane était le genre de copine idéale, la fille parfaite que tous les garçons rêvent de tenir dans leurs bras. Mais Izia... le regard de Samuel glissa vers les courtes boucles brunes qui lui faisaient face. Izia, c'était autre chose. Elle était agaçante, sauvage, débrouillarde. À la fois réservée et fonceuse. À son image.

Pathétique, je suis pathétique...

– Ignore-la, murmura Timothée.

Samuel se retourna vers lui, surpris. Il jeta un coup d'œil aux filles. Elles continuaient à discuter avec E-Nathan sans leur accorder la moindre attention.

– Pardon ?

– Izia. Tu veux qu'elle s'intéresse à toi ? Ignore-la.

– T'es expert en filles, toi, maintenant ? siffla méchamment Samuel.

– Non. Vraiment, vraiment pas. Mais je vous sens.

Samuel le dévisagea, interdit.

– ... OoooK, grinça-t-il finalement, je crois que je préfère ne pas savoir ce que tu entends par là. Occupe-toi de ta gueule.

Timothée afficha un sourire fataliste.

Soudain, une porte claqua au-dessus de leurs têtes.

Tous s'entre-regardèrent, terrifiés. Des pas résonnèrent dans l'escalier. Un vent de panique souffla dans le sous-sol. Samuel fila se cacher derrière la table à dessin, l'adrénaline courant dans ses veines. L'ampoule du plafonnier s'alluma brutalement et un homme apparut, colosse brun, cheveux longs jusqu'aux épaules, l'air furieux. Ses yeux épinglèrent une Izia pétrifiée, accroupie près du mur, son assiette à la main.

– Izia Faure, tonna l'homme en pointant du doigt les matelas abandonnés au centre de la pièce, j'espère que tu as une bonne explication à me donner !

22 h 03

Izia

Izia sauta sur ses pieds, rattrapant au dernier moment son assiette de spaghettis. Qu'est-ce que son père foutait là ? À cette heure, il aurait dû se trouver quelque part au-dessus de l'Atlantique !

Merde merde merde merde merde...

– Je... Tu n'as pas pris l'avion ?

Il croisa les bras sur sa poitrine.

– Devine, kiddo.

– Je vais t'expliquer...

– J'ai hâte.

Du coin de l'œil, Izia vit les autres sortir de leurs cachettes. Son père les passa en revue avec un regard féroce.

– Vous deux, vous restez là. Si vous osez toucher à mon matériel, je vous plie en deux. Les filles, dans la chambre d'Izia. Pas de discussion.

Vu le gabarit du type et son état d'énervement, tout le monde obtempéra.

Les filles montèrent l'escalier en silence. Le père d'Izia les rejoignit quelques secondes plus tard, referma la porte de la chambre, alluma la lumière.

Morgane se réfugia sur le lit et tenta de se faire oublier – *peine perdue*, pensa Izia, *mais bel effort*.

– Papa, tu peux éteindre la lumière s'il te...

– Ta mère sait que tu es là ? la coupa-t-il.

– Je suis censée dormir chez Morgane, répondit-elle en désignant l'adolescente.

– Évidemment.

Izia prit soin de se tenir loin de la fenêtre. Les hommes de tout à l'heure rôdaient peut-être encore dans les parages. Elle jeta un coup d'œil inquiet à l'ampoule brillante du plafonnier.

– Papa, tu veux bien éteindre la lumière...

Il fit un pas menaçant vers elle.

– Tu n'es pas en état de négocier, 'Zia. Je suis à peine parti que tu organises une soirée chez moi ? Je n'imaginais pas ça de toi...

– C'est pas ce que tu crois, fit Izia agacée.

– Ah oui ? Et c'est quoi alors ? Pas de salades cette fois.

– Ce serait vraiment mieux d'éteindre cette lumière, osa Morgane apeurée.

Il tourna la tête vers elle, bras croisés.

– N'essaie pas de défendre ta copine.

– Izia n'est pas ma copine. Je ne lui avais jamais adressé la parole avant ce matin.

Interloqué, il la dévisagea.

– Une défense originale, convint-il. Expliquez-vous.

– La lumière, murmura Izia anxieuse.

Son père la fixa étrangement, comme troublé, puis tendit le bras pour basculer l'interrupteur. L'ombre retomba dans la chambre, une couverture d'intimité et de silence. Izia respira.

– Qu'est-ce qui se passe ici ? demanda son père en se rapprochant d'elle et en la saisissant par les épaules. C'est la deuxième fois de ta vie que tu as l'air d'avoir peur. Et la première fois, c'était hier soir. Parle-moi.

Izia déglutit. Sentir les larges mains de son père lui faisait du bien. Pour une fois, elle ne se creuserait pas la tête à la recherche d'un mensonge improbable, elle lui dirait la vérité.

Mais parfois, la vérité semble plus difficile à croire qu'un mensonge.

22 h 31

Morgane

Père et fille s'affrontaient du regard.

Izia avait fini son récit depuis une bonne minute maintenant, et le silence dans la chambre devenait électrique. Le cœur battant, Morgane fixait leurs deux silhouettes immobiles qui se découpaient en contre-jour.

Il faut qu'il nous croie, il faut qu'on aille chercher maman, il faut...

Soudain, le père d'Izia sortit un téléphone de sa poche.

– Pas les flics, papa, s'inquiéta Izia.

Il la fit taire d'un signe de la main impérieux.

– Seb ! s'exclama-t-il, je te dérange ?... OK. Dis-moi, ce bordel en ville, les flics qui courent partout, c'est dû à quoi ?... Oh. Vraiment ?

Morgane se leva du lit et s'approcha discrètement d'Izia.

– C'est qui Seb ? lui souffla-t-elle à l'oreille.

– Un pote de mon père, journaliste à *Ouest France*.

– Merci Seb. Non, simple curiosité, t'inquiète.

Il raccrocha et se retourna vers les filles. Il semblait plus pâle.

– Alors ? s'impatienta Izia.

– Il a confirmé l'explosion du bus en fin de journée et, apparemment, la police n'a pas réussi à mettre la main sur le mystérieux chauffeur du car qui a percuté l'abribus ce midi.

Il la dévisagea. Dans l'obscurité, ses yeux sombres brillaient d'une lueur inquiète.

– Tu me crois ? s'inquiéta Izia.

Il passa une main sur son visage.

– Je crois que quelque chose ne tourne pas rond, oui. Quant à ces histoires de manipulation génétique...

Izia sourit.

– Cette partie-là est pourtant évidente.

Il haussa un sourcil.

– Vraiment ? Et quel est ton... pouvoir, alors ?

– Devine.

– ...

– Tu as repassé ta chemise et ton jean aujourd'hui, probablement après être rentré de l'aéroport puisque peu de plis s'y trouvent. Depuis, un animal a laissé des poils clairs sur tes mollets. Vu la hauteur, je penche pour un gros chien. Je sais que tu as bu un café ce soir parce que tu as une petite tache sombre à la commissure des lèvres. Tu n'as sûrement pas retardé ton départ pour boire un verre avec un pote, plutôt avec la blonde qui a laissé un long cheveu sur l'épaule de ta veste. Dis-moi papa, comment s'appelle ta nouvelle target ? Tu t'entends bien avec son labrador ?

Morgane écarquilla les yeux, impressionnée. Izia avait débité ses observations comme un cuisinier émince un oignon, à toute allure, d'une voix tranchante. Comment avait-elle pu déceler tous ces indices ? Surtout dans le noir ! Le père d'Izia lui donna la réponse :

– Tes yeux.

– Si tu veux mon avis, commenta Izia, repasser le jean était une erreur. C'est too much. Ça manque de naturel.

Sans relever le sarcasme, il se tourna vers Morgane.

– Et toi, quelle est ta... modification ?

Cette question, Morgane l'avait tournée et retournée dans sa tête toute la soirée, mais elle n'avait pas trouvé la réponse.

– Aucune idée, monsieur.

Il grimaça.

– Appelle-moi Érik. Comment ça, aucune idée ? Tu devrais t'en être rendu compte, tu vis avec depuis quatorze ans...

– Je sais ! C'est ce que je me dis ! Pourtant je suis normale.

– Toi ! s'exclama Izia. Normale ?

Morgane se figea, surprise par le ton accusateur d'Izia.

– Ben oui... Je vais au collège, je ne capte aucune pensée bizarre et je ne vois pas dans le noir. Je suis comme tout le monde...

Izia secoua la tête. Elle n'en croyait pas ses oreilles.

– Parce que c'est normal d'être la star du collège ? Tu sais combien de meufs rêvent de prendre ta place ? Être comme tout le monde, c'est vivre les pires années de sa vie dans ce foutu bahut ! Tu es tout sauf normale, Morgane.

Troublée, celle-ci se tut. Certaines personnes étaient populaires, d'autres non, c'était dans l'ordre des choses, pourquoi Izia trouvait-elle cela suspect ?

– Papa, reprit Izia, on doit retourner à la clinique.

– Hors de question.

– Très bien.

Morgane se redressa, étonnée et furieuse qu'Izia capitule si vite. Son père, lui, ne fut pas dupe :

– Izia Faure, j'ai été ado avant toi, je connais cette tête.

– Quelle tête ?

– Ta tête de mule, celle qui dit « oui oui » et qui pense « cause toujours ». Quoi que je décide, tu t'arrangeras pour t'y rendre, n'est-ce pas ?

Izia soutint son regard sans répondre.

Il soupira.

– Eh bien je vais faire en sorte que ça n'arrive pas. J'irai moi-même dans cette fichue clinique.

– Papa, protesta Izia.

– Ce n'est pas négociable.

Morgane laissa échapper un soupir soulagé. Avoir un adulte avec eux la rassurait. Izia, elle, dansait d'un pied sur l'autre, cherchant un moyen d'adoucir la décision de son père.

– On peut... commença-t-elle. On pourrait t'accompagner.

– Non, 'Zia. Vous restez là. Je m'en charge.

Izia donna un coup de coude à Morgane. Celle-ci s'éclaircit la voix et vint à son secours :

– C'est ma mère, monsi... Érik. Et elle ne fait confiance à personne. Vous n'arriverez pas à la convaincre de quitter sa chambre si je ne suis pas là. Et puis je connais parfaitement les lieux. Je dois venir.

Un deuxième coup de coude atterrit dans les côtes de Morgane.

– Et les autres aussi, ajouta-t-elle précipitamment. On doit *tous* venir.

Érik croisa les bras et la jaugea.

– Donne-moi une bonne raison de mettre quatre adolescents en danger au lieu d'une seule ?

– Parce que vous croyez qu'ils vont rester là sagement à nous attendre ? Au moins, si vous les emmenez, vous les aurez à l'œil. Et puis on ignore d'où vient le danger. Les mecs de tout à l'heure risquent de revenir, on sera plus en sécurité avec vous.

Morgane sut qu'elle avait gagné lorsque Érik ferma brièvement les yeux et étouffa un soupir exaspéré.

– Très bien, capitula-t-il. Vous ne sortirez pas de la voiture.

– Et ma mère, protesta Morgane, je dois être là pour…

– On se débrouillera, la coupa Érik. Prévenez vos potes, rendez-vous dans l'entrée.

– Yes ! fit Izia.

Morgane sourit de son enthousiasme, pourtant, elle ne voyait pas ce qu'il y avait de si réjouissant. Ils s'apprêtaient à pénétrer dans une clinique ultrasécurisée pour enlever un patient – enfin, un deuxième ! –, et les médecins qui y travaillaient étaient probablement ceux qui cherchaient à les éliminer.

Elle secoua la tête pour chasser sa peur.

C'était peut-être une mission suicide, mais la seule chose qui comptait pour le moment était de mettre sa mère à l'abri.

Piégés

23 h 30

Timothée

Le père d'Izia coupa le moteur de la voiture, décrocha sa ceinture, sortit. Les adolescents l'imitèrent. Ils se trouvaient sur la route défoncée qui longeait le parc de la clinique. La nuit était claire et froide. Une demi-lune à peine voilée par quelques nuages éthérés creusait sur les visages des ombres blafardes. Portant E-Nathan dans sa main, Timothée s'approcha du mur d'enceinte. Le parfum familier des arbres et de l'herbe coupée monta à ses narines.

Retour à la case départ.

– *Courage, mec. Personne ne te demande d'entrer.*

Timothée sourit.

– Je sais. C'est juste bizarre de revenir si vite.

E-Nathan émit un petit cliquètement amical.

Érik s'approcha du mur, l'escalada à moitié, jeta un coup d'œil par-dessus, puis redescendit d'un bond.

– Il y a encore de la lumière dans le bâtiment, les avertit le père d'Izia, il vaut mieux attendre un peu.

– *Très bien*, approuva E-Nathan, *ça nous laisse le temps de répéter notre plan. Maintenant que j'ai un port wifi, je peux me connecter au réseau de la clinique et fonctionner comme un téléphone pour vous appeler directement, Érik. Mettez votre kit mains libres, je vous guiderai à distance.*

Érik s'exécuta, non sans afficher un air méfiant et sceptique.

– *Revoyons ce plan.*

Timothée considéra Morgane. Elle serrait sa veste contre son ventre, tendue. Son anxiété formait un nuage dense d'émotions autour d'elle, et si elle ne se calmait pas, il allait envahir tout le monde.

– J'ai froid, se plaignit-elle. Je retourne dans la voiture.

– Je t'accompagne, fit Timothée en tendant la boîte à Izia.

Morgane lui jeta un regard reconnaissant, elle n'avait pas envie de rester seule. Le cœur de Timothée se gonfla lorsqu'elle lui sourit en ouvrant la portière. Il hésita à reprendre sa place sur le siège avant, puis s'engouffra sur la banquette arrière à côté de Morgane.

Lui non plus n'avait pas envie d'être seul.

Plus jamais.

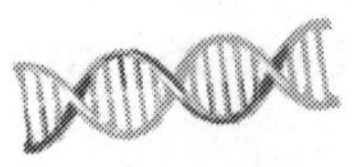

Samuel

– *L'entrée pour les livraisons se trouve à l'arrière du parc, sur votre gauche. À cette heure-ci, elle est surveillée par deux gardes : l'un dans une petite guérite au niveau du portail, l'autre à l'intérieur du bâtiment, juste derrière la porte. Il sera facile d'éviter le premier en passant par-dessus le mur. Pour le deuxième...*

– Je m'occupe du deuxième, l'interrompit Érik.

Samuel n'en doutait pas. Le père d'Izia – contrairement à sa fille – était plutôt grand, mais il avait surtout une musculature impressionnante sous ses tatouages. Et puis l'effet de surprise jouerait en sa faveur.

Surprenant un regard complice entre Izia et son père, Samuel détourna les yeux. Trop tard. Un élan de jalousie se réveilla dans sa poitrine, lancinant, aigu. Qu'aurait été sa vie si cet homme avait été son père ? Samuel secoua la tête. Non, il ne voulait pas d'un autre père. Il voulait le sien, le héros de son enfance, vivant.

Et il ne l'aurait plus jamais.

Machinalement, Samuel décolla le bout d'un strip sur son front.

– La pharmacienne t'a recommandé de les garder au moins cinq jours, lui rappela Izia.

Il haussa les épaules.

– Ça gratte.

– C'est signe de guérison.

– Ouais, ben je guérirai aussi bien sans ce truc.

D'un seul coup, Samuel arracha les strips qui barraient la plaie. La démangeaison se calma dans l'instant. Il lança un sourire satisfait à Izia qui leva les yeux au ciel et s'approcha. Elle se campa devant lui pour inspecter la blessure, le nez levé vers son visage. Frisson. Le cœur de Samuel accéléra.

Izia ne sembla pas s'apercevoir de son trouble. Elle fronça les sourcils, le considéra avec un air perplexe.

– Quoi ? fit-il d'une voix rauque. Qu'est-ce qu'il y a ?

– Pas grand-chose, justement. Tout à l'heure, ton front était ouvert d'un bout à l'autre. Et là, on dirait à peine une grosse griffure.

Samuel haussa les épaules.

– T'as dû halluciner. C'était pas si grave.

– *C'était* grave. La pharmacienne a suggéré de faire des points de suture à l'hôpital.

– Ben faut croire que c'était pas nécessaire.

Izia avisa une dernière fois son front, puis se détourna avec une expression indéchiffrable.

– J'aime bien quand tu t'inquiètes pour moi, murmura Samuel avant qu'elle s'éloigne.

– In your dreams, répondit-elle du tac au tac sans se retourner vers lui.

Elle rejoignit son père qui discutait avec E-Nathan. Samuel retint un soupir. Clairement, il n'intéressait pas Izia, du moins pas comme il l'aurait voulu.

Le conseil de Timothée lui revint en mémoire. *Ignore-la*. Un petit sourire s'accrocha à la commissure de ses lèvres.

Après tout, il ne pouvait pas savoir si cette stratégie était mauvaise avant de l'avoir testée.

23 h 48

Morgane

Morgane était sur les nerfs.

L'inquiétude fébrile pour sa mère s'entremêlait à la fatigue, un cocktail décapant qui la faisait sursauter au moindre bruit. La présence silencieuse de Timothée à côté d'elle la rassurait un peu, mais en attendant que le père d'Izia passe à l'action, elle avait désespérément besoin de penser à autre chose.

– Comment tu t'es retrouvé à la clinique ?

Il tourna la tête vers elle, hésita, frotta par réflexe son poignet droit dans sa main gauche.

– Je te l'ai dit, ça devenait invivable d'être dehors, trop de contacts.

Les yeux de Morgane s'étrécirent. Ceux de Timothée la fuirent.

– Tu peux me parler, tu sais, dit-elle à mi-voix.

– Je sais.

Morgane n'insista pas.

– Je me suis ouvert les veines, avoua Timothée après un moment.

Morgane le dévisagea, surprise.

– Il y avait une fille que j'appréciais à l'école, reprit Timothée. J'étais encore un gamin. Un jour j'ai compris que même si elle m'aimait bien aussi, je ne pourrais jamais lui tenir la main. Jamais l'embrasser. Pour la première fois, j'ai compris que ce serait comme ça toute ma vie. Et c'était insupportable. Je suis rentré chez moi, j'ai pris un couteau de cuisine, fait couler un bain, puis je me suis tranché les veines. Poignet droit. J'avais vu ça dans un film. J'étais déjà inconscient quand ma mère m'a trouvé. Je me suis réveillé dans une chambre d'hôpital. Quelques jours plus tard, on m'a transféré à la clinique. Je n'en suis plus sorti. Jusqu'à aujourd'hui.

Morgane acquiesça, une boule dans la gorge. La vie de Timothée avait été l'opposé de la sienne, et bizarrement, cette différence agissait sur elle tel un aimant, comme si elle pouvait apaiser ses souffrances. Le compléter.

– Comment ça fonctionne ? Tu as mal si quelqu'un te touche la peau, mais si on touche juste tes vêtements, c'est pareil ?

– Non, c'est la peau contre peau qui déclenche la douleur. Mais les vêtements ont des trous, ils glissent. C'est toujours risqué.

– Parfois le risque vaut le coup. Non ?

Morgane se rapprocha de Timothée. Elle avait l'impression qu'une bulle brûlante gonflait dans sa poitrine... Timothée l'observait, maîtrisant avec peine une panique grandissante.

– Je... Tu ne sais pas à quel point ça fait mal. Il suffit d'un faux mouvement...

– Tim, je suis danseuse, je suis capable de maîtriser mes mouvements.

Très lentement, elle tendit la main, les yeux plongés dans ceux de Timothée qui la dévorait du regard. Il n'y avait plus qu'eux au monde, elle et lui, noyés l'un dans l'autre. Morgane désigna l'épaule de Timothée, recouverte par le tissu molletonné de son sweat.

– Là, je peux ? interrogea-t-elle sans lâcher ses yeux. Tu veux ?

Il déglutit, inspira, hocha imperceptiblement la tête.

– Dis-le-moi. Dis-moi que tu en as envie. Je ne ferai rien si tu ne veux pas.

– Je... je veux, souffla-t-il, tremblant.

Morgane inspira. Légère comme une plume, sa main effleura l'épaule de Timothée.

Puis s'y posa tout à fait.

23 h 59

Timothée

Timothée ferma les yeux. Pas de douleur. Il respira. Une étrange chaleur envahit son épaule. La main de Morgane. La légère pression de sa main. Il... il la sentait. Timothée rouvrit les paupières, dévisagea la jeune fille.

– Ça va ?

Il hocha la tête. Sa terreur s'était envolée, ne laissant qu'une appréhension fiévreuse. Morgane sourit. Elle était belle. Non, « belle » n'était pas suffisant.

Elle était magnifique, sublime, la fille la plus incroyable qu'il ait jamais vue. Il sourit en retour et s'aperçut avec surprise qu'il avait confiance. Là, dans cette voiture au milieu de nulle part, dans la fraîcheur de la nuit, Morgane le touchait et il avait confiance. C'était... nouveau. Excitant. Terriblement bon. Son ventre commençait à prendre la dangereuse consistance de Chamallows fondus quand, abandonnant toute timidité, Morgane demanda :

– Et maintenant, où ?

Le cœur de Timothée manqua un battement. Cette fille était vraiment... wow ! Il désigna son torse. La main de Morgane glissa sur le sweat, évita avec précaution la peau de son cou, s'arrêta à l'endroit désigné. La respiration de Timothée accéléra. Celle de Morgane lui répondit. Elle était si proche, il devinait l'odeur de sa peau, de ses cheveux...

– Où ? souffla une nouvelle fois Morgane.

Timothée pointa son ventre.

Ils poursuivirent ce jeu pendant plusieurs minutes, leurs regards fiévreux accrochés l'un à l'autre, partageant le même souffle. Puis un voile de fatigue traversa les yeux de Morgane. L'excitation de Timothée reflua, laissant place à une immense tendresse.

– Tu es épuisée, dit-il.

Elle sourit, acquiesça, retira sa main du sweat. Il leva le bras gauche pour qu'elle se glisse en dessous.

– Viens, murmura-t-il.

Morgane s'allongea en chien de fusil sur la banquette, face au dossier. Sa tête se posa sur la cuisse de

Timothée et elle ferma les paupières, la joue creusée d'une fossette. Son visage se trouvait à quelques centimètres de l'entrejambe de Timothée. Étrangement, cette pensée n'éveilla aucune excitation en lui. Mais l'idée l'émut plus qu'il n'aurait su le dire. Timothée posa une main sur le bras de Morgane, la couvant de toute son attention. Il ne voulait pas perdre une miette de ce moment, pas une seule seconde, pas un seul détail.

Soudain, une vibration rompit le charme.

Morgane se dégagea, s'assit, plongea une main dans sa poche. Timothée ne broncha pas, même si perdre la douce pesanteur de la tête sur sa cuisse fut un déchirement. Elle lui adressa un regard brillant dans l'obscurité de la voiture avant de baisser les yeux pour vérifier qui l'appelait. L'écran de son smartphone nimba son visage d'une clarté lunaire. *Parfaite*, pensa Timothée en gravant cette image dans sa mémoire. Il possédait une immense collection de souvenirs qui n'étaient pas les siens, mais celui-ci, rien ni personne ne pourrait l'abîmer.

Brusquement, il revint à la réalité.

– Ton portable ? souffla-t-il alors que son anxiété remontait en flèche. Je croyais que vous les aviez éteints.

– Je... je croyais l'avoir éteint. C'est mon père.

– Ça va lui paraître bizarre si tu ne réponds pas.

Elle décrocha.

– Papa ?

– *Morgane ! Où es-tu ?*

Le silence alentour était si profond qu'en tendant l'oreille, Timothée entendit la voix à l'autre bout du fil.

Morgane hésita, l'air gênée.

– Je suis chez Marie, tu sais bien, je t'ai appelé tout à l'heure.

– *Donne-moi son adresse, je viens te chercher.*

– Je... comment ça ? Qu'est-ce qui se passe ?

– *Marc m'a téléphoné, il était inquiet pour toi.*

Morgane leva un visage paniqué vers Timothée. Elle n'avait sûrement pas l'habitude de mentir et semblait sur le point de craquer.

– *Morgane ?*

– Demande-lui pourquoi il est inquiet, chuchota Timothée avec un sourire d'encouragement.

– Je suis là, papa. J'essaie juste de comprendre... Pourquoi Marc était-il inquiet ?

– *À cause de l'accident devant ton collège, hier matin, et de ce bus qui a explosé. Il n'a pas voulu m'expliquer en détail, mais il m'a dit de te récupérer et de rester avec toi ce week-end.*

L'expression de Morgane se figea.

– Papa, fit-elle d'une voix blanche, est-ce que Marc est encore avec toi ?

Ce fut au tour de son père d'hésiter.

– *Oui*, avoua-t-il, *je suis avec lui au commissariat. Donne-moi l'adresse de ton amie, chaton.*

Lentement, Morgane décolla le téléphone de son oreille, fixa l'écran sans le voir, les yeux dans le vague.

– *Morgane ? Morgane !*

Elle coupa la communication.

Marc.

À l'autre bout du fil.

– Je crois qu'on a un problème, lâcha Morgane en tournant la tête vers Timothée.

– Si seulement on n'en avait qu'un, répondit-il, lèvres pincées. Le seul truc rassurant, c'est que ce Marc ignore où on est.

Morgane mordilla sa lèvre inférieure.

– Sauf s'il a tracé l'appel...

Samedi 8 mars
00 h 18

Izia

– Quoi ? Tu n'as pas viré ta carte SIM ? s'étrangla Izia quand Timothée eut achevé de résumer la situation. Éteins-le, éteins ce putain de téléphone !

– Izia ! intervint Érik. Du calme.

– Peut-être qu'il n'a pas eu le temps de tracer l'appel, se défendit Morgane.

– *Puisqu'ils connaissent ton numéro de téléphone*, intervint E-Nathan, *ils sont capables de le tracer, même s'il est éteint.*

– Et si j'enlève ma carte SIM ? s'affola Morgane.

– *Hum... théoriquement tu es tranquille, sauf s'il a déjà installé un logiciel espion sur ton portable.*

Izia et son père échangèrent un regard inquiet.

– Il a pu faire ça ? s'enquit Érik. Ce Marc, il a déjà eu ton téléphone en main ?

Morgane le dévisagea, incrédule.

– C'est... Marc est un vieil ami de la famille, il connaît mes parents depuis le lycée, c'est lui qui m'a offert mon téléphone.

Un vieil ami de ses parents ? Morgane leur avait caché ce détail. Et s'il connaissait ses parents depuis si longtemps, il était forcément au courant des recherches que menait la mère de Morgane... une nouvelle pièce du puzzle à laquelle Izia ne réussit pas à trouver de place.

Érik tendit la main vers Morgane.

– Donne-le-moi.

– Pardon ?

– Ton portable ! s'impatienta-t-il.

Morgane s'exécuta. Érik jeta le smartphone sur le goudron et l'écrasa d'un coup de talon impitoyable. Morgane fixa l'objet en miettes, résignée.

– C'est comme ça qu'ils ont fait, murmura Izia.

– Qu'est-ce que tu veux dire ?

– Pour nous retrouver. On les avait semés après l'explosion du bus, mais Marc nous a vus chez Nathan, puis...

– Marc était chez Nathan ? s'écria Morgane.

– Oui, on l'a aperçu en repartant. En me voyant avec Samuel, il a dû comprendre qu'on s'était regroupés, alors il a tracé ton téléphone. C'est pour ça qu'il est venu fouiner du côté de chez mon père ce soir.

Izia releva la tête, plongea dans les yeux pâles de Morgane et ajouta :

– Il sait où on est, j'en suis sûre.

Érik posa une main sur l'épaule de sa fille, ajusta son kit mains libres, avisa le mur du parc.

– Il n'y a plus une minute à perdre, alors. J'y vais.

Izia acquiesça.

– Fais gaffe à toi, dad.

Il hocha la tête, puis lançant un regard féroce aux quatre adolescents :

– Retournez dans la voiture et restez-y quoi qu'il arrive.

00 h 23

Marc Loizeau

– Elle m'a raccroché au nez, Marc… Morgane n'a jamais fait ça, qu'est-ce qui lui prend ? Pourquoi tu ne me dis pas ce qui se passe ?

Le capitaine posa une main amicale sur l'épaule du père de Morgane.

– Ne t'inquiète pas, Alexis. Ne bouge pas d'ici, je vais la retrouver. Je te le jure.

Il sortit de son bureau, composa un numéro.

– Commandant, la situation se complique. Je sais que je ne dois pas vous contacter, mais mon référent ne répond pas et j'ai besoin de renfort à la clinique immédiatement… Une heure ? s'étrangla-t-il. Si long ? Bon. Faites au mieux.

Il raccrocha, composa un deuxième numéro.

– Je sais où sont les gamins. Je vous rejoins au rond-point du Grand Aquarium dans cinq minutes.

00 h 25

E-Nathan

– Tu m'entends, la boîte ?

– *Je vous entends, Érik.*

– Bien. J'approche de la porte. Je vais avoir besoin d'infos une fois à l'intérieur, alors ne me lâche pas.

– *Pas de soucis. Le papa de mon amie est mon papa. Enfin j'me comprends.*

– T'avais déjà un humour aussi pourri quand tu étais humain, Nathan ?

– *Pourquoi pensez-vous que je suis ami avec Izia ?*

– Oui... bon... Allez, motus, j'entre.

00 h 28

Timothée

À l'avant de la voiture, Izia et Morgane écoutaient dans un silence tendu la progression d'Érik. Derrière elles, Timothée osait à peine respirer de peur de rater une information. Seul Samuel faisait mine de ne pas s'intéresser à l'opération, mais il tendait lui aussi l'oreille.

– *Il a neutralisé le garde à l'entrée,* leur apprit E-Nathan.

– Tu pourrais nous mettre le son ? demanda Izia. Ce serait plus simple...

– *Si vous voulez.*

Une respiration saccadée retentit dans l'habitacle de la voiture.

– *Coriace, le salaud !* grogna la voix bourrue d'Érik. *Et maintenant, je vais par où ?*

Timothée réprima un sourire. Il comprenait mieux d'où provenait le langage fleuri d'Izia en entendant parler son père.

– *Prenez le couloir face à vous, Érik. Premier escalier sur la droite. Premier étage.*

Soudain, Timothée se redressa.

Haine.

Dégoût.

Oh non...

Il baissa précipitamment la vitre embuée, fouilla la nuit du regard.

– Je crois qu'ils arrivent, annonça-t-il.

00 h 34

Izia

Un lointain bruit de moteur se fit entendre, qui enfla peu à peu. Dans la voiture, la tension monta d'un cran. Des faisceaux de phares balayèrent la route départementale devant la clinique, mais les véhicules s'arrêtèrent avant de croiser le chemin transversal où ils se trouvaient.

– Ils se sont garés près de la grille d'entrée, devina Izia.

Des voix étouffées retentirent au loin, puis se turent.

Izia ouvrit la portière et sortit. Timothée essaya de la rattraper :

– Ton père a dit de...

– Chhhhhut ! le coupa-t-elle en escaladant le mur.

Elle passa la tête au-dessus, sonda la nuit. Une quinzaine d'hommes vêtus de noir, arme au poing, se déployaient entre les arbres du parc, prenant soin d'éviter les rayons de lune. Izia se laissa tomber au sol et regagna la voiture.

– Ils sont dans le parc, annonça-t-elle. Qui sont ces mecs, putain ?

– Apparemment, observa Morgane, ils n'ont pas eu de mal à franchir la grille, ils doivent travailler pour les médecins...

– Je ne pense pas, ils sont vraiment en mode commando, là, c'est bizarre... S'ils sont au service des médecins, pourquoi est-ce qu'ils chercheraient à passer inaperçus dans leur propre parc ?

– Est-ce que tu as vu Marc parmi eux ? intervint Timothée.

– Certains portent une cagoule.

Soudain, des bruits d'affrontement émanèrent de la boîte, puis un juron étouffé. Izia arracha le cube de plastique des mains de Morgane.

– Papa ? Ça va ?

– *Oui, juste un infirmier qui descendait dans l'escalier. On a été aussi surpris l'un que l'autre. Je suis à l'étage, c'est quelle chambre ?*

Izia respira, soulagée.

– Avant-dernière sur la gauche, répondit Morgane.

– Dad, le parc grouille de mecs armés.

– *Merde… Izia, vous ne bougez pas de la voiture, c'est clair ?*

– Tu as trouvé la chambre ?

– *Oui. J'entre.*

Morgane se tordit nerveusement les mains.

– Ma mère ne voudra jamais le suivre.

– *Érik va lui donner l'oreillette pour qu'elle entende ta voix,* intervint E-Nathan. *Ça marchera si c'est toi qui lui parles. Il faut que ça marche.*

– *Que faites-vous là ?* dit une femme. *J'appelle la sécurité !*

Morgane écarquilla les yeux.

– Ce n'est pas la voix de ma mère…

Des bruits de lutte retentirent.

Puis plus rien.

Les mains d'Izia se crispèrent sur la boîte.

– Papa ?

– *Je l'ai perdu,* lâcha E-Nathan. *Son portable a dû prendre un coup.*

Izia bondit hors de la voiture.

La nuit était profonde à présent, mais elle ne la craignait pas. Elle ne l'avait jamais crainte. Depuis l'enfance, l'obscurité était son refuge, son domaine. Son avantage.

Elle tirerait son père de là.

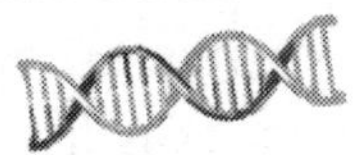

00 h 45

Samuel

Samuel escalada le mur à la suite d'Izia. Tant pis pour la stratégie de Timothée, il n'en pouvait plus de jouer l'indifférence, et il n'allait quand même pas laisser cette tarée se faire tuer.

– Tu ne crois pas que ton père est capable de se débrouiller tout seul, non ? murmura-t-il en atterrissant dans le parc à côté d'Izia.

– Personne ne t'a demandé de venir.

Il attrapa le poignet de la jeune fille, l'obligea à se tourner vers lui.

– Ce n'est pas une bonne idée, Izia. Ces mecs essayent de nous éliminer, et tu fonces tête baissée te jeter sur leurs flingues.

– Je vais chercher mon père, siffla Izia en se dégageant.

Ses yeux d'onyx étaient froids, cinglants, déterminés.

– Très bien. Alors je viens avec toi.

Morgane sauta à leurs côtés, suivie par Timothée un instant plus tard, E-Nathan entre les mains. Samuel se retourna vers eux.

– L'équipe au grand complet, ironisa-t-il. Discrétion assurée !

– La ferme, ordonna Izia en scrutant le bâtiment de la clinique à travers les branches des arbres. Il y a des gardes aux fenêtres. Ils ont dû se rendre compte de la présence des hommes en noir.

– De mieux en mieux, commenta Samuel.

– Oui, justement ! Les gardes de la clinique vont être occupés à les intercepter. Avec un peu de chance, on se glisse dans la clinique, on récupère la mère de Morgane, mon paternel, et on se casse d'ici avant qu'ils nous aient calculés.

Samuel soupira. Quoi qu'il dise, Izia repousserait chacun de ses arguments et s'entêterait un peu plus. *Cette fille est la pire tête de mule que j'aie jamais rencontrée,* pesta-t-il intérieurement.

Mais il était prêt à la suivre n'importe où.

00 h 52

Morgane

Morgane progressait à pas légers entre les arbres, tendue comme une corde de violon. Une silhouette au loin surgit d'un bosquet et replongea dans l'ombre. Morgane se retint pour ne pas crier.

Ne pas paniquer. Surtout ne pas paniquer…

Pas évident lorsque, à chaque instant, elle avait l'impression que quelqu'un menaçait de se jeter sur elle. Morgane fixa le dos d'Izia, qui la précédait. Que n'aurait-elle pas donné pour avoir ses yeux. Morgane, inspira, rajusta le col de sa veste. L'idée qu'elle endurait cette épreuve pour sortir sa mère des griffes de ses anciens collègues lui redonna du courage.

La petite bande s'approcha silencieusement de l'entrée des livraisons, celle qu'avait empruntée le père d'Izia un moment plus tôt.

Soudain une ombre bondit devant eux.

Morgane hurla.

Une main l'attrapa par-derrière, se plaqua sur sa bouche.

– Chhhhh... souffla Samuel à son oreille.

Les yeux écarquillés, Morgane aperçut deux points brillants dans la nuit. Un chat, ce n'était qu'un chat. Mais il était trop tard, des voix résonnèrent au loin et des silhouettes sombres émergèrent des arbres.

Samuel retira sa main, entraînant Morgane vers la façade de la clinique. Comme tétanisés, les quatre adolescents virent les hommes foncer à leur rencontre. Ils arrivaient de partout. Dans quelques secondes, ils seraient sur eux.

Morgane se plaqua contre le mur, tremblante.

Ils étaient pris au piège.

Révélations

00 h 57

Timothée

Terrorisé, Timothée tira sur les manches de son sweat pour couvrir ses mains.

Ils vont me toucher, ils vont me toucher, ils vont me toucher...

Claquement métallique. Le panneau d'un soupirail bascula aux pieds de Morgane. Un visage sévère surgit dans l'encadrement.

– Par ici ! souffla la femme.

– Madame Charles ! s'exclama Morgane. Qu'est-ce que...

– Dépêchez-vous ! Allez !

Tous consultèrent Timothée en silence. Il ne sentait pas d'hostilité de la part de cette femme. Voulait-elle pour autant les aider ? Impossible à dire. Mais vu leur situation, ils n'allaient pas tergiverser...

Il se faufila par la lucarne.

Les autres s'engouffrèrent à sa suite.

00 h 58

Izia

Izia sauta la dernière dans le sous-sol de la clinique, échappant de justesse aux hommes armés. Une main apparut dans l'ouverture.

Détonation.

Juron.

Claquement sec.

Un homme, pistolet au poing, verrouilla la trappe du soupirail. Izia le dévisagea, incrédule.

– Vous lui avez tiré dessus…

– C'était sa main ou vous, mes chéris, intervint Mme Charles en rajustant ses lunettes métalliques.

Izia l'observa. Mais que fichait là Mme Charles, l'infirmière du collège ? Et en compagnie d'un homme armé ? La situation devenait plus confuse de minute en minute. Mme Charles venait de sauver leur peau. Mais était-elle vraiment leur alliée ?

La petite femme autoritaire les entraîna à travers les couloirs du sous-sol, escortée par deux gardes armés.

– Ne vous inquiétez pas, nous sommes là pour vous protéger. Vous êtes saufs à présent.

– Vous… vous travaillez ici ? demanda Morgane, perplexe.

– Vous allez avoir des réponses dans un instant, mes chéris.

Izia leva les yeux au ciel.

– Pas trop tôt, marmonna-t-elle alors que Mme Charles les invitait à entrer dans un vaste bureau aux murs capitonnés.

Izia repéra cinq nouveaux gardes. Du coin de l'œil, elle vit que l'un d'eux verrouillait la porte, mais son attention fut happée par une silhouette qui détonnait, à l'autre bout de la pièce. Un homme élancé, épaisse vague de cheveux gris acier et costard anthracite cintré, se retourna vers eux avec un sourire d'une blancheur éclatante. Une poupée Ken en chair et en os, version « quinquagénaire étincelant ».

– J'attends cette rencontre depuis si longtemps ! s'exclama-t-il en avançant vers eux.

Izia haussa un sourcil. Elle ne pouvait en dire autant.

– Où est mon père ?

L'homme s'arrêta dans son élan et la dévisagea avec un sourire amusé.

– Izia, Izia, tempéra-t-il avec un ton paternaliste qui donna à la jeune fille une soudaine envie de gerber, droit au but, comme toujours... Ton cher père va bien. Il est dans une pièce à l'étage.

Enfermé, comprit Izia.

– Pourquoi est-ce qu'il n'est pas ici ?

– Parce que je veux vous parler seul à seul.

Izia se crispa. Le sourire de ce mec était trop beau pour être vrai.

– Les hommes dehors, c'est qui ?

Ken grimaça.

– Pour faire court, ce sont les membres d'un groupuscule qui n'hésite pas à lancer des actions terroristes pour défendre ses, hum, convictions. Je suis désolé pour ce que vous avez subi ces derniers jours, la perte de Nathan est… un gâchis indescriptible. Mais c'est fini, mes gardes s'occupent de les neutraliser.

Il laissa planer un bref silence, les dévisagea les uns après les autres.

– Vous ne vous demandez pas qui je suis ?

– Vous êtes le chercheur qui a trafiqué nos gènes, devina Izia.

– Perspicace petite Izia… Je me présente, je suis le professeur Martin Klein, chercheur en bio-ingénierie et responsable de cette clinique.

Izia serra les dents. S'il continuait à lui parler comme à une gamine de six ans, ce type allait se manger une baffe. Izia avisa les gardes. Bon, OK, la baffe n'était peut-être pas une bonne idée. Elle ravala son agacement.

– Pourquoi ? demanda-t-elle simplement.

– Ah ! s'enthousiasma le professeur Klein. La grande question universelle ! Celle qui a provoqué mes recherches. Depuis son apparition en Afrique il y a des centaines de milliers d'années, l'évolution des hominidés s'est faite au gré du hasard et de la sélection naturelle avec une lenteur désolante. Aujourd'hui, nous maîtrisons les techniques pour *choisir* de quelle manière nous voulons évoluer ! Alors pourquoi – ce fameux pourquoi ! – devrions-nous nous en priver ? Nous pouvons contrôler notre destinée, changer radicalement l'être humain en l'espace d'une ou deux générations ! Et *vous* êtes les ambassadeurs de cette nouvelle humanité, ses tout premiers spécimens.

Izia n'était pas sûre de comprendre l'intégralité du discours passionné que leur tenait le scientifique, mais elle n'en laissa rien paraître.

– Ce genre de recherche est illégal ! s'indigna-t-elle.

L'homme lui adressa un sourire condescendant.

– Comme la plupart des recherches qui conduisent à des avancées scientifiques révolutionnaires ! Il faut avoir le courage de s'affranchir des lois pour découvrir de nouveaux territoires ! Je suis un explorateur de l'espèce humaine. Bien sûr, il y aura toujours des réactionnaires pour s'y opposer. Certains choisiront les armes, comme ceux qui se trouvent dans le parc en ce moment. D'autres convoqueront l'éthique et interdiront ces recherches avec des textes de loi. Leur résistance est futile. Le monde a déjà changé. Parce que vous existez, parce que d'autres existent peut-être ailleurs dans le monde, en secret. Mais surtout parce que vous êtes *meilleurs*. Supérieurs. Le jour où des parents devront choisir entre améliorer leur enfant pour lui donner toutes les chances de réussir, de vivre en bonne santé et plus longtemps, ou bien de le concevoir de manière naturelle au risque qu'il ne soit pas adapté à la société dans laquelle il vivra, que pensez-vous qu'ils feront ? Chacun désire le meilleur pour ses enfants. Et le meilleur, c'est vous. Ce jour viendra, plus tôt que vous ne le pensez. Alors l'espèce humaine aura basculé dans une nouvelle ère, et plus personne ne parlera d'éthique ou de légalité.

Izia s'agita, mal à l'aise. Il était facile de penser que ce type était fou. Trop facile car, en vérité, c'était tout le contraire. L'homme qui se tenait devant eux et leur servait ce discours enflammé était absolument sensé. Il avait même raison concernant les possibles répercussions de ses recherches.

Le monde a déjà changé, venait-il de dire. *Parce que vous existez.*

– Quelles sont nos modifications ? demanda Izia.

– Tu as forcément une idée de la tienne.

– Oui. D'où vient-elle ? Comment avez-vous transformé mes yeux ?

– C'était l'expérience la plus évidente. Mon équipe a étudié le code génétique de nombreux animaux nocturnes, chouettes, poissons, rongeurs, puis de certains rapaces à la vision exceptionnelle, mais il s'est avéré que les chances de réussite étaient plus élevées en utilisant du matériel génétique provenant de mammifères. Nous avons choisi le chat. Tes pupilles sont légèrement ovales, pourtant, puisque tes iris sont d'un noir parfait, cette anomalie est presque indétectable. Il nous a fallu trois essais pour y parvenir.

– Trois essais ?

– Oui. Les deux premières tentatives ont malheureusement échoué.

Le malaise d'Izia franchit un nouveau palier.

– Échoué ?

Le professeur Klein ne prit pas la peine de paraître triste lorsqu'il avoua :

– La première mère porteuse a fait une fausse couche. Lors du deuxième essai, la grossesse a été menée jusqu'à son terme, mais l'enfant n'a pas survécu après la naissance.

Une boule de révolte bondit dans le ventre d'Izia.

– Vous avez trouvé la couverture parfaite, cracha-t-elle. Cette clinique. Les femmes qui viennent ici ont des difficultés à avoir des enfants. Personne ne s'étonne d'une fausse couche de plus. Et vous avez choisi exprès un nom aussi niais ? « Les cigognes », c'est mignon, ça n'inquiète personne, hein ?

Une lueur de fierté s'alluma dans les yeux du généticien.

– Ton sens de la déduction est impressionnant. Peut-être que ta vision exceptionnelle a accru ta capacité à établir des liens... Il faudra que mon équipe étudie ton cerveau de près !

– Vous êtes répugnant.

Pour la première fois, l'homme se départit de son sourire scintillant.

– Non, très chère Izia. Nous n'effectuons jamais deux tentatives sur la même femme. Si une hybridation échoue, la patiente est orientée vers un programme de fécondation in vitro traditionnel au sein de cette clinique. Quoi que tu en dises, nous avons aidé des milliers de femmes à donner la vie.

Izia secoua lentement la tête, furieuse. Klein osait justifier ses actions, s'attribuer le rôle du sauveur.

– Vous ne leur avez pas demandé leur avis ! Timothée n'est pas plus « adapté » à la vie que les gens normaux. Et sa mère n'apprécie certainement pas l'« aide » que vous lui avez apportée.

Il secoua lentement la tête, les yeux fixés sur Timothée.

– Pourquoi ? Elle a un fils tout à fait fascinant ! Il est vrai que ton hybridation était plus... improbable que celle d'Izia, Timothée. Je ne m'attendais pas à un résultat si extraordinaire !

01 h 20

Timothée

La dernière intervention d'Izia avait mis Timothée mal à l'aise. Elle ne connaissait pas sa mère et l'évoquait seulement pour déstabiliser le professeur Klein.

– Improbable ? s'étonna Timothée.

Klein sourit.

– Nous avons réussi à isoler certains gènes de dauphins, ceux qui les rendent particulièrement sensibles aux humeurs de leurs congénères. Nous cherchions à créer un individu qui posséderait cette capacité de « lire » les gens. Nos techniques ont toujours été empiriques et nos résultats très aléatoires. Nous n'avions pas imaginé que cette hybridation déclencherait un effet secondaire aussi prononcé.

– Vous parlez de ce qui se passe quand je touche quelqu'un ?

– Absolument.

Timothée hocha la tête, pensif. Le plus incroyable n'était pas que les généticiens aient en partie échoué, mais qu'ils aient en partie réussi : il « sentait » effectivement les gens autour de lui. Et à cet instant, le professeur Klein dégageait un mélange d'amour, d'intérêt et d'ambition pour le moins malsain. Ce n'était pas eux qu'il aimait, devina-t-il. C'était ce qu'ils pouvaient lui apporter.

Les honneurs.

La célébrité.

De nouveaux moyens pour développer ses recherches.

L'homme détaillait Timothée de ses yeux d'ambre perçants.

– Dis-moi Timothée, tu n'as jamais révélé à mes psychiatres combien de personnes t'avaient touché au cours de ta vie…

Timothée réprima un frisson. Il connaissait très bien la réponse à cette question : l'écho de chaque contact résonnait encore en lui.

– Quarante-sept.

– Quarante-sept ! Tu as quarante-sept personnes en toi. Quarante-sept expériences du monde, quarante-sept façons de penser, quarante-sept vies. Fascinant ! Un véritable trésor…

Le professeur, excité, gravitait autour de Timothée. Un trésor, vraiment ? L'adolescent secoua la tête. Une malédiction, oui.

– Très honnêtement, reprit Klein les yeux brillants en joignant ses mains devant son menton, je n'espérais rien de cette hybridation, c'était une idée d'Ariane.

– Ma mère ? intervint Morgane.
– Elle-même, ma chère enfant ! Ariane était une chercheuse exceptionnelle, non seulement impressionnante sur le plan théorique, mais aussi dotée d'un instinct incroyable lorsqu'il s'agissait d'assembler des gènes. Elle se trompait rarement dans le choix des parents pour ses expérimentations.
Timothée sentit la colère de Morgane s'amonceler comme une tornade obscure.
– Que lui avez-vous fait ? articula-t-elle d'une voix sourde.

01 h 28

Morgane

– Moi ? s'exclama le professeur Klein. Mais je ne lui ai rien fait ! Je lui prodigue les meilleurs soins depuis quatorze ans !
Morgane fulminait. Elle n'avait pas besoin des capacités de Timothée pour percevoir que ce type mentait comme il respirait. Mais il était sa seule source d'information.
– Donc elle savait que vous aviez modifié l'enfant qu'elle portait ? Moi ?
– Bien sûr. Tes parents présentaient des caractéristiques génétiques idéales pour l'expérience que nous voulions tenter. Elle s'est portée volontaire. Elle aurait donné n'importe quoi pour favoriser nos recherches.

Morgane déglutit. Le portrait qu'il traçait de sa mère ne lui plaisait pas. Y avait-il une once de vérité dans tout ça ?

– Quelle hybridation avez-vous tentée sur moi ?

Le professeur Klein lui offrit un sourire satisfait.

– Tu es la plus jeune de vous quatre. Nous n'aurions jamais osé une telle hybridation sans nos trois succès précédents. Mais nous avons réussi. Nous avons créé l'illusion de la perfection.

Ses yeux étincelaient de fierté.

– Pardon ? balbutia Morgane sans comprendre.

– Alban, le botaniste de l'équipe, a travaillé pendant des années sur une plante carnivore qui attire les insectes en sécrétant une substance odorante. C'était notre première tentative d'hybridation à partir d'un végétal. Et elle a fonctionné au-delà de nos espérances. Au lieu de synthétiser la même substance que cette plante carnivore – ce qui aurait eu pour seul effet d'attirer à toi des insectes ! – ton organisme a spontanément créé une substance adaptée à sa propre espèce et, dans notre société contemporaine, les proies des hommes sont leurs semblables. Ainsi, les gens sont attirés par toi. Ils t'apprécient instinctivement, pardonnent tes erreurs... Ils t'aiment malgré eux, en quelque sorte. Associée à ta beauté naturelle, cette modification fait de toi une charmeuse redoutable. On ne peut rien te refuser.

Morgane sentit ses jambes se dérober, comme si la texture du sol se liquéfiait.

Tout est faux. Ma vie, mes amis, tout est faux... Ils m'aiment car ils n'ont pas le choix.

Des images défilaient à toute vitesse dans son esprit. Les filles du cours de danse. Ses amis du collège. Son père.

Lui aussi ? Lui aussi m'aime parce qu'il est obligé ? C'est pour ça qu'il ne me dit jamais non ?

Sa respiration s'accéléra. Tout tournait autour d'elle. Morgane balaya la pièce du regard, cherchant un soutien. Elle croisa le regard de Timothée. L'amour qu'elle y lut l'acheva, comme une ultime trahison. Il l'aimait bien sûr, mais ses sentiments étaient le fruit d'une illusion, d'un envoûtement auquel il ne pouvait se soustraire.

Morgane se redressa, dévisagea le professeur Klein et son sourire suffisant. Il avait fait d'elle un monstre. Et, quoi qu'il en dise, elle était convaincue qu'il était responsable de l'état de sa mère.

Aujourd'hui, il lui arrachait sa vie une deuxième fois en la vidant de son sens.

01 h 36

Samuel

Samuel détaillait le professeur Klein, fasciné.

Cet homme était un génie. Samuel avait hâte d'entendre quelle était sa propre modification. Mais un garde s'approcha du professeur et lui chuchota quelques mots à l'oreille. Celui-ci hocha la tête, se tourna vers les adolescents, leur sourit :

– Nous poursuivrons cette discussion plus tard, mes amis. La protection de la clinique requiert mon attention.

Déçu, Samuel allait intervenir quand pour la première fois – enfin ! – Klein le regarda dans les yeux.

– Je te parlerai tout à l'heure, Samuel. Nous avons beaucoup de choses à nous dire.

Et s'adressant à Mme Charles :

– Installez ces jeunes héros dans la salle de repos, ma chère, ils sont épuisés.

Puis il sortit d'un pas royal, flanqué de quatre de ses gardes.

Samuel prit son mal en patience. Il obtiendrait ses réponses très bientôt, le professeur l'avait promis.

L'infirmière du collège les entraîna jusqu'à une pièce confortable au bout du couloir. Samuel s'appropria une banquette moelleuse.

– Vous ne nous avez toujours pas expliqué ce que vous faites là, madame Charles, lança Izia.

L'infirmière sourit.

– Le professeur Klein devait garder un œil sur vous après votre départ de la maternité. En tant qu'infirmière scolaire, je vous examinais régulièrement. J'étais aussi chargée de prévenir la clinique si je vous sentais menacés.

– Vous n'avez pas été très efficace. Nathan est mort.

L'infirmière encaissa la remarque, l'air peinée.

Samuel se redressa sur la banquette :

– Donc vous saviez que nous *pouvions* être menacés. Ces hommes dans le parc, vous connaissiez leur existence. Qui sont-ils ? Le professeur parlait d'un groupuscule terroriste ?

Mme Charles hésita, gênée.

– Les recherches du professeur Klein sont... controversées. Ces hommes sont des activistes aux thèses rétrogrades, et...

– Concrètement ? la coupa Izia.

– Très bien, soupira Mme Charles. Il s'agit d'une organisation nommée Pro-EVE, pour Protection Efficace du Vivant et de l'Environnement, mais on les appelle plus simplement EVE. Au premier abord, il s'agit d'écologistes humanistes nostalgiques du paradis originel... Mais le premier E de leur nom, Efficace, révèle leurs véritables intentions. Les thèses que défend leur leader et les moyens qu'ils emploient sont pour le moins extrêmes. Ils se battent entre autres contre les modifications génétiques, végétales bien sûr, mais aussi contre celles expérimentées par l'équipe de cette clinique, qu'ils jugent contraires à la pureté de l'être humain. Et ils sont suffisamment fous pour tenter d'éliminer les preuves de nos réussites. À savoir : vous.

– Mais vous avez poursuivi ces recherches en secret. Comment connaissent-ils notre identité ?

– Nous... nous n'en savons rien. C'est pour cela que l'assassinat de Nathan nous a surpris, nous ne pensions pas qu'ils vous avaient identifiés. Ne vous inquiétez pas, nous allons vous protéger à présent. Vous êtes spéciaux. Votre vie est inestimable. Le professeur Klein fera de vous des stars.

Sur ces mots, elle les laissa seuls dans la pièce. Un garde se posta devant la porte. Se vautrant sur la banquette, Samuel sourit. *Vous êtes spéciaux*, avait dit l'infirmière. *Inestimables*. Il comprit que s'il avait passé une bonne partie de sa scolarité à se tenir à l'écart des autres, c'est qu'il sentait déjà qu'il était différent. Important, même.

Et cette confirmation lui faisait un bien fou.

01 h 50

Timothée

– Nath ?

– *Je suis là*, murmura E-Nathan. *J'ai tout entendu.*

– Ce groupe, EVE, il apparaît dans tes données ?

– *Je cherche. Joy, le hacker, a bien couvert ses traces, mais il appartient probablement à cette organisation. Ou du moins, il leur a donné la liste de nos noms. Les membres d'EVE n'auraient pas pu se la procurer autrement. Et s'il cherchait à s'introduire dans le serveur de la clinique quand je suis tombé sur lui, c'est qu'il avait déjà une idée de ce qui s'y tramait.*

– Eh ben cherche vite, freaky boy, intervint Izia. J'ignore les intentions de ce cher professeur Klein, mais le « il fera de vous des stars » de madame Charles ne me dit rien qui vaille. Il veut probablement nous instrumentaliser pour diffuser ses recherches. Et moi, être utilisée, ça me plaît moyen. Il prétend vouloir nous protéger, mais dans l'immédiat nous sommes ses prisonniers. On va devoir trouver un moyen de se barrer fissa.

Timothée se tourna vers Morgane qui s'était isolée dans un coin de la pièce. Une sensation glaciale émanait de la jeune fille et l'aura de colère s'était opacifiée autour d'elle. Les révélations du généticien l'avaient bouleversée. Elle lui faisait l'effet d'un suicidaire en haut d'un immeuble qui contemple le vide avant de sauter. Et les cernes qui apparaissaient sur son adorable visage n'éclipsaient pas l'éclat calculateur de ses yeux.

– Dépêche-toi, Nath, murmura-t-il. J'ai peur que Morgane devienne incontrôlable.

01 h 54

Morgane

Morgane ruminait.

Les gens l'aimaient instinctivement, et cette affection forcée la dégoûtait. Toutes les relations qu'elle avait entretenues au cours de sa vie étaient fausses ou faussées. À choisir, elle aurait préféré qu'on la déteste – au moins elle n'aurait rien eu à perdre.

Morgane se redressa, prise d'une idée subite. Était-il possible que quelqu'un la déteste ? À vrai dire, elle avait apprécié l'affection naturelle qu'on lui portait et n'avait jamais rien fait pour la contrarier. Mais aujourd'hui... Elle remarqua la silhouette avachie de Samuel, au fond de la pièce. Celui-ci était tombé sous son charme d'emblée. Pouvait-elle inverser ce qu'il ressentait pour elle ? Morgane possédait l'arme parfaite pour le découvrir...

Toute sa vie durant elle avait cultivé le secret.

Désormais, elle se ferait la voix de la vérité.

2 heures

Samuel

– Sammy... lança Morgane.

– Ne m'appelle pas comme ça, gronda-t-il en se redressant sur un coude.

– Pourquoi ?

Il ne répondit pas. Sammy était le surnom que lui donnait son père. Personne d'autre n'avait le droit de l'appeler de cette manière. Personne.

Morgane se leva, s'approcha de lui. S'assit au bout de la banquette. Samuel lui adressa un sourire surpris mais ravi... qui s'évanouit dès que Morgane demanda :

– Tu te souviens bien de l'accident de ton père ?

Elle chuchotait, comme si elle ne voulait pas qu'Izia et Timothée l'entendent.

– Comment ça ?

– Qu'est-ce qu'il s'est passé ce soir-là ?

Samuel fixa la jeune fille, indécis. Pourquoi abordait-elle ce sujet ?

– Mes parents se sont disputés, répondit-il lentement sans la quitter des yeux. Mon père a quitté la maison, il a pris la voiture, il s'est planté.

– Pourquoi ils se sont disputés ?

– Pourquoi tu me parles de ça ?

Une étincelle de jubilation s'alluma dans les yeux turquoise de Morgane.

– Tu l'ignores, n'est-ce pas ? Tu ignores pourquoi ils se...

– Morgane, arrête ! intervint Izia, furieuse.

Samuel se crispa, sa bouche se fit plus sèche. La situation lui échappait. Il dévisagea Izia qui détourna le regard, gênée.

– Demande-lui, sourit Morgane. Izia connaît la vérité.

Le cœur de Samuel accéléra.

– Non ? poursuivit Morgane d'une voix d'ange. Tu ne veux pas savoir ?

Samuel la fixa comme s'il la voyait pour la première fois. Depuis des années, il harcelait sa mère pour connaître la vérité, et à présent il n'était plus certain de vouloir l'entendre. Morgane lui adressa un sourire indulgent.

– Bon, eh bien je vais te le dire moi-même. Quand tes parents se sont rencontrés, ton père était accro aux jeux d'argent, il passait ses soirées au casino et il se bourrait la gueule après pour oublier ses pertes.

– Tais-toi ! cria Izia.

Samuel secoua la tête de droite à gauche, comme pour empêcher les mots de s'infiltrer dans son cerveau et y déposer leur poison. Mais Morgane poursuivait, implacable, haussant la voix pour couvrir les protestations d'Izia :

– Grâce à ta mère, il s'en est sorti. Il n'a pas joué un centime pendant des années. Tu es né. Tout allait bien. Mais son vieux démon l'a repris. Ce soir-là, celui de son accident, ton père avait perdu beaucoup d'argent. Il est rentré ivre mort, a voulu te dire bonne nuit. Ta mère a refusé qu'il t'approche dans cet état. Il l'a giflée, ta mère a riposté. Furieux, il est parti en claquant la porte. Tu connais la suite.

Un silence gêné planait dans la pièce. Morgane sourit à Samuel. Il la fixait, sidéré. Comment pouvait-elle lui servir un tel tissu de mensonges ? Et pourquoi ? Mais lentement, les mots de la jeune fille s'associèrent aux souvenirs des dernières années avec son père, créant une cruelle résonance. Colérique. Instable. Imprévisible. Absent, même lorsqu'il était là. Il ne se l'était pas avoué à l'époque, mais Samuel avait redoublé d'efforts pour être aimé de cet homme qu'il sentait s'éloigner de lui. Son héros de cuir et de clous. Brusquement, il se rendait compte à quel point il l'avait idéalisé après sa mort. Samuel tourna la tête vers Izia. Elle lui rendit un regard désolé. Il songea à leurs mères, à leur complicité.

– Tu savais, murmura-t-il. Tu savais et tu ne m'as rien dit.

La rage familière se réveilla dans son ventre. Il ferma les yeux un instant. Les rouvrit. Tous l'observaient, mais il ne voyait personne. Il avait voulu leur accorder sa confiance, faire partie de leur groupe. Ils l'avaient exclu par leurs mensonges et leurs non-dits.

– Je vous hais, siffla-t-il.

Le sourire de Morgane s'élargit.

– Vraiment ?

Il la considéra sans répondre, troublé par la joie qu'elle affichait.

La porte s'ouvrit soudain sur la silhouette osseuse de Mme Charles.

– Samuel, le professeur veut te parler, suis-moi.

Il se leva et obéit avec l'étrange impression d'être extérieur à lui-même. La dernière question de Morgane tournait sous la voûte de son crâne en une danse obsédante. Est-ce qu'il les détestait vraiment ?

Non.

Comme d'habitude, c'était lui-même qu'il méprisait. Ce lui-même qui avait érigé son père en idéal de droiture. Ce lui-même qui s'était aveuglé au point de ne pas voir l'évidence : son père était un loser. Un faible. Un raté.

– Samuel ! l'accueillit chaleureusement le professeur Klein en lui ouvrant la porte de son bureau. Entre, entre je t'en prie, installe-toi !

02 h 16

Timothée

– Je vais te tuer, siffla Izia en fonçant sur Morgane.

– Vas-y, la provoqua celle-ci, bras ouverts, yeux étincelants.

– Pourquoi tu lui as dit ? s'énerva Izia en la plaquant contre le mur. Ça t'amuse de jouer avec les émotions des gens, princesse ?

– Izia, intervint doucement Timothée, arrête.

Il ne craignait pas qu'elle fasse du mal à Morgane. Malgré sa brusquerie, Izia appréciait la jeune fille. Morgane, en revanche, était incontrôlable... Il s'approcha. Izia recula d'un pas.

– Je sais ce que tu essayes de provoquer, Morgane, articula-t-il.

– Tu ne sais rien !

Malgré son évidente colère et le risque de contact que cela impliquait, Timothée s'approcha plus près. Il plongea ses yeux dans ceux de Morgane.

– Ne me regarde pas comme ça, gémit-elle au bord des larmes.

– Comment ?

– Comme si tu m'aimais. Tu es comme les autres. Tu n'as pas le choix.

Sa voix s'étrangla. Morgane perdait pied. Refusait la réalité.

– Non, je ne suis pas comme les autres, assura-t-il lentement. Peut-être que ton pouvoir influe sur mes sentiments, mais leur origine est ailleurs. Je t'aime parce que je te connais, toi, ce que tu es vraiment, ce que tu caches, ce que tu crains. Je t'ai touchée Morgane. Ça a été une douleur atroce. Pourtant, tu as injecté en moi une lumière que je ne connaissais pas ; une lumière crue, percée d'ombres sublimes. La douleur en valait la peine, et c'est bien la première fois que je peux dire cela. Je sais qui tu es, Morgane. Et je t'aime. Toi.

Une larme coula sur la joue de Morgane. Timothée recouvrit sa main de son sweat, essuya tendrement le visage de la jeune fille.

– Quoi que tu fasses, ajouta-t-il, tu n'arriveras pas à me faire détester une aussi belle personne. Alors ce n'est même pas la peine d'essayer…

Morgane hocha lentement la tête.

Izia s'approcha d'eux.

– Désolée de vous interrompre, les Bisounours, lâcha-t-elle, je n'ai pas l'intention de moisir ici. Mon père est enfermé quelque part dans cette clinique, comme la mère de Morgane. Et je ne sais pas pour vous, mais devenir l'ambassadeur du professeur Klein, c'est pas trop mon délire.

Elle avait raison. Le professeur les voyait comme son Œuvre. Ses choses. Il avait profité de l'internement de Timothée pour l'observer de plus près. Rester ici, c'était accepter de lui appartenir.

Et c'était hors de question.

02 h 26

Samuel

– Je me régénère, lâcha Samuel déçu, c'est ça mon pouvoir ?

Il avait espéré plus spectaculaire…

Le professeur Klein sourit.

– Je crois que tu ne mesures pas la valeur de ton don. Tu ne tombes jamais malade, tu cicatrises à une vitesse impressionnante... Chaque parent rêve d'un enfant comme toi ! De toutes mes créations, tu es celui qui peut au mieux emporter l'adhésion ! Apprête-toi à devenir plus connu qu'une rock star, Sammy...

Samuel tressaillit à la mention de ce nom, mais ne broncha pas. Devenir célèbre, l'idée était séduisante, bien sûr. Toutefois, quelque chose le gênait. Fuyant le regard perçant du professeur, ses yeux tombèrent sur une petite vitrine qui trônait dans un coin de la pièce, et il fut étonné d'y découvrir des figurines des X-Men.

– Les meilleurs super héros jamais inventés, commenta le professeur avec un large sourire. J'ai grandi avec leurs comics. J'aime à penser qu'ils sont en partie à l'origine de mes recherches. À travers vous, c'est un peu eux que j'ai recréés.

Samuel se gratta la joue, amusé. Cette découverte donnait au chercheur une touche d'humanité.

– Mon hybridation, c'était quel animal ?

– L'étoile de mer. Elles ont une capacité de régénération impressionnante ! Non seulement leurs branches repoussent entièrement, mais certaines espèces sont capables de renouveler des organes internes s'ils sont abîmés. C'est probablement grâce à cela que tu ne tombes jamais malade.

Samuel hocha la tête, perplexe. L'idée qu'il possède des gènes d'étoile de mer était pour le moins... étrange.

– Tu sais que ton père était stérile, n'est-ce pas ? reprit le professeur Klein de sa voix grave et douce. Tu ne t'es jamais demandé qui était ton père biologique ?

– Si, murmura Samuel sans oser questionner Klein.

– Normalement, le don est anonyme. Mais pour toi... Tu es mon chef-d'œuvre, Samuel. Tu es... lui, ajouta-t-il en désignant la figure de Wolverine dans la vitrine, le plus génial de tous les X-Men. La même capacité de guérison. Je devais t'attribuer le meilleur ADN possible.

Samuel était suspendu à ses mots. Les révélations de Morgane sur son père l'avaient anéanti. À présent, il allait enfin avoir la réponse qu'il était venu chercher. L'identité de son « deuxième » père, forcément mieux que le déchet qui l'avait élevé puis laissé tomber – car c'est ainsi que l'accident résonnait à présent dans son esprit. Un deuxième père comme une deuxième chance. Le professeur Klein le regarda droit dans les yeux. Pour une fois, il semblait ému.

– Sammy, j'ai besoin de toi pour diffuser mes recherches, c'est vrai. Mais surtout, je te veux à mes côtés. Car tu es mon fils.

Abasourdi, Samuel fixait le professeur Klein. Il n'avait toujours pas prononcé un mot lorsqu'une violente sonnerie retentit dans toute la clinique.

Trahis

02 h 31

Marc Loizeau

Au beau milieu de l'affrontement, le capitaine asséna un coup de poing dans le ventre d'un garde de la clinique qui se plia en deux. Il profita du bref répit pour jeter un coup d'œil vers la grille. Que fichaient les renforts, bon sang ! Ils auraient déjà dû être là ! La situation dégénérait complètement et il ne pouvait pas la régler seul… Le garde se redressa. Le capitaine le cueillit d'un direct au menton qui l'envoya rouler au sol. Un membre d'EVE, pommette en sang et fusil croisé sur sa poitrine, apparut à côté de Marc Loizeau.

– As-tu repéré les dégénérés ?

– Non, pas encore.

– Ils doivent être à l'intérieur. Certains des nôtres y sont. Rejoignons-les !

Le capitaine avisa la porte d'entrée.

– Les gardes viennent de les refouler. Il vaut mieux éliminer tous ceux qui sont dehors avant de monter à l'assaut.

L'homme acquiesça.

Soudain, cinq types leur tombèrent dessus. Une douleur vive transperça l'épaule gauche de Marc Loizeau. Il jura, lutta pour rester debout, releva la tête.

Le canon d'une arme le fixait.

02 h 33

Samuel

Samuel parcourait le couloir du sous-sol avec le professeur. Il avait tenu à le raccompagner auprès des autres quand une brèche dans la sécurité de la clinique avait interrompu leur conversation un instant plus tôt.

Le regard de Samuel bondissait sur la silhouette du chercheur, traquant la moindre ressemblance, l'ovale du visage, les ailes du nez, l'implantation des cheveux, le port altier, la mâchoire volontaire… tout lui semblait étranger. Comment cet homme pouvait-il être son père s'ils n'avaient rien en commun ? Puis il croisa ses yeux, pour la centième fois peut-être.

Des yeux de miel liquide.

Exactement comme les siens.

– J'espère que tu n'es pas déçu, dit Martin Klein en s'arrêtant devant la porte de la pièce où l'attendaient les autres.

– Non, souffla-t-il. Je ne suis pas déçu.

Le regard du professeur Klein débordait d'affection. Samuel lui sourit. Oh non, il n'était pas déçu. En réalité, il n'aurait jamais osé rêver d'un père aussi fantastique.

– Reste ici, Sammy, tu es à l'abri, lui assura Klein avant de s'éclipser.

02 h 35

Izia

En entrant dans la pièce, Samuel faisait une drôle de tête. Ne sachant pas s'il s'était remis des révélations de Morgane, Izia n'osa pas l'interroger. Timothée s'en chargea.

– Qu'est-ce qu'il te voulait ?

Samuel releva la tête vers eux. Ses traits dégageaient de la fierté, ainsi qu'une étrange sérénité. Izia ne lui avait jamais vu une telle expression. Comme si la colère perpétuelle du garçon s'était endormie.

– Klein est mon père. Mon père biologique.

Un long silence accueillit sa déclaration. Puis un bruit mou résonna dans le couloir, comme un corps qui s'affaisse sur le sol. La porte s'ouvrit.

– Je vous avais dit de rester dans la voiture !

– Papa ! s'exclama Izia en courant vers l'homme qui venait d'apparaître.

– On se casse d'ici, les kids ! rugit-il en serrant sa fille contre lui. Tout de suite !

Les quatre adolescents se précipitèrent hors de la pièce. Le garde était allongé dans le couloir, KO.

– Tu étais où ? s'exclama Izia. Tu vas bien ?

– J'étais enfermé au premier étage. Les patients ont commencé à se réveiller à cause des bruits dans le parc, et j'ai profité de la confusion générale pour m'échapper.

– Et ma mère ? demanda Morgane.

– Elle n'était pas dans sa chambre. Je suis désolé, Morgane, on n'a plus le temps de la chercher, il faut partir. La situation nous dépasse. Ce que je sais, c'est que ces gens ne plaisantent pas...

Izia lui résuma ce qu'ils avaient appris.

– Un scientifique qui espère vous utiliser et des activistes qui veulent vous tuer, récapitula Érik. Je n'aime pas du tout ce tableau. Par où on sort, Nathan ?

– *Prenez l'escalier sur votre gauche, dans une dizaine de mètres.*

Entendant des voix au-dessus d'eux, ils s'immobilisèrent sur les dernières marches. Le hall n'était qu'à une trentaine de mètres. Trois gardes barraient le passage. Izia revint sur ses pas, considéra Morgane d'un air désolé.

– Tu ne vas pas aimer mon idée, mais on a vraiment besoin de toi, princesse...

Une pointe de tendresse perça dans son dernier mot.

– Tu veux que j'utilise mon pouvoir, grimaça celle-ci.

– Je veux que tu sois aussi magnétique que d'habitude, ma belle.

– Détourne leur attention, approuva Érik, le temps que je me glisse derrière eux.

Morgane soupira, puis s'engagea dans le couloir sans se faire prier.

– Hey ! s'exclama un garde. Qu'est-ce que tu fais là, toi !

Izia n'entendit pas la suite. Morgane s'était arrangée pour que les types leur tournent le dos et, avec Timothée, elle se faufila dans le couloir à la suite de son père. Celui-ci assomma un premier homme, récupéra son arme et la pointa sur les deux autres avant qu'ils comprennent ce qu'il se passait.

– Dans la chambre, gronda-t-il. Vite !

Les gardes obtempérèrent.

Sitôt la porte refermée, tous se mirent à courir pour gagner le hall.

Il y avait tant de patients affolés et d'infirmiers que personne ne les remarqua. Izia se retourna. Derrière elle, Morgane protégeait Timothée des contacts.

– Où est Samuel ? leur demanda-t-elle.

Morgane balaya le hall du regard.

– Merde ! jura-t-elle. Qu'est-ce qu'il fait ?

– Demi-tour, lâcha Izia.

– Non, l'arrêta Timothée.

Izia interrompit son geste, le fixa.

– Qu'est-ce que…

– Il a choisi, trancha Timothée avec une pointe de colère dans la voix.

Elle haussa les sourcils.

– Tu penses qu'il a rejoint…

– Je veux dire qu'on doit se dépêcher, car il a probablement déjà prévenu son cher père de notre fuite.

Le cœur d'Izia se contracta violemment. Le souvenir du baiser de Samuel s'embrasa dans sa mémoire et une vague de dégoût l'envahit. C'était la première fois qu'un garçon l'embrassait depuis les jeux débiles de l'école primaire. Et il avait fallu que ce soit la bouche d'un traître qui se pose sur la sienne.

Serrant les dents, elle suivit les autres qui filaient vers la porte.

02 h 47

Morgane

Morgane eut un moment de recul en émergeant dans le parc. Des faisceaux blancs de lampes torches s'entrecroisaient en une danse étrange et effrayante. Des cris, des grognements, s'élevaient un peu partout. Des coups de feu jaillissaient sans prévenir, assourdissants. Dans l'obscurité, Morgane ne parvenait pas à comprendre qui était de son côté et qui voulait la tuer.

Soudain, des sirènes hurlèrent à l'entrée du parc et des gyrophares balayèrent la nuit.

02 h 48

Izia

Izia parcourut la pelouse du regard. L'obscurité ne l'empêchait pas de voir parfaitement le champ de bataille. Elle repérait d'un seul coup d'œil les membres d'EVE en noir, les gardes de la clinique aux vestes bleues et les policiers en uniforme qui se déversaient par la grille d'entrée. Mais à qui se fier ? Parmi tous ces hommes, y en avait-il vraiment qui leur voulaient du bien ? Que feraient d'eux les policiers quand ils apprendraient ce qu'ils étaient ? Sans compter que l'un d'eux appartenait visiblement à l'organisation terroriste, songea-t-elle en apercevant la tignasse blonde de Marc Loizeau, qui se débarrassait d'un garde de la clinique le tenant en joue.

Izia échangea un regard avec son père, désigna les arbres. Il acquiesça. Mieux valait contourner la pelouse avant que les combattants ne remarquent leur présence.

Sans un mot, Izia tira la manche de Morgane. La jeune fille lui emboîta le pas avec Timothée.

Ombres parmi les ombres, ils fuirent vers le couvert du bosquet.

02 h 50

Samuel

Samuel suivait le professeur Klein et ses collaborateurs à travers les couloirs du sous-sol. Dès que les sirènes avaient retenti, tous s'étaient réunis ici, prêts à partir. L'éventualité d'être découverts avait été envisagée et planifiée de longue date.

Ils débouchèrent dans un petit parking souterrain où les attendaient deux vans. Des chercheurs firent monter dans le premier une femme rousse, l'air hagarde, vêtue d'un pyjama froissé.

– Sais-tu quelle est la meilleure des protections, fils ?

Il fit non de la tête. Le professeur sourit à pleines dents.

– La célébrité ! Dans deux jours, nos noms seront sur toutes les lèvres.

– Comment on sort d'ici ? La clinique est cernée...

– Ne t'inquiète pas, j'ai tout prévu. Mais avant de partir, je vais compliquer un peu la tâche de tes anciens amis.

Il s'approcha d'un pylône de béton qui s'élevait au centre du parking, ouvrit un panneau de contrôle, saisit à pleine main un gros interrupteur métallique.

– Je veux qu'ils sachent que ceux qui ne sont pas avec moi sont contre moi, Sammy.

Et il bascula l'interrupteur vers le haut.

02 h 51

Timothée

Ils n'avaient pas encore atteint la ligne touffue des arbres que des projecteurs illuminèrent brusquement la pelouse du parc.

Désorientés par ce flot de lumière qui se déversait sur la scène, les combattants eurent un moment d'hésitation. Timothée s'arrêta net. Dix pas derrière lui, Morgane s'était figée. Avec sa chevelure rousse, elle offrait une cible de choix.

Percevant ce qui allait se passer, Timothée se mit à courir vers elle en hurlant. Trois détonations quasi simultanées explosèrent dans la nuit. Timothée plongea vers Morgane, la percuta, vrilla son corps pour ne pas tomber sur elle.

Une douleur vive transperça ses côtes.

Il heurta le sol, le choc fut à peine amorti par l'herbe humide du parc.

Il essaya de se relever. Respirer devenait difficile, soudain. Cette brûlure dans sa poitrine... À tâtons, sa main s'aventura vers son ventre, remonta sur ses côtes. La douleur était si différente de tout ce qu'il avait connu... Juste là, dans sa chair, déchirante. Un liquide poisseux colla à ses doigts. Il sentit Morgane se redresser dans son dos. Elle dit quelque chose qu'il ne comprit pas, s'accroupit à côté de lui, le visage ravagé par les larmes. Le doux visage de Morgane, là, à quelques centimètres du sien.

Un ange.

Son ange.

Timothée sourit – tenta de sourire.

– Touche-moi, articula-t-il.

02 h 53

Marc Loizeau

Le capitaine jura.

Oubliant son épaule meurtrie, il se précipita en direction des corps à terre.

Il avait abattu l'un des tireurs, mais avec une demi-seconde de retard. Des années d'infiltration pour en arriver à cet échec lamentable. Putain de gâchis ! Si Morgane ou l'un des jeunes était touché, il ne se le pardonnerait jamais.

– Je suis désolé, Ariane, murmura-t-il en accélérant sa course.

02 h 53

Morgane

Morgane sentit un cri prendre son élan au fond de son ventre pour s'élancer au-dehors. Un long cri d'horreur capable de déchirer la nuit. Pourtant, elle le retint, le noya dans les larmes. Devant elle,

Timothée se vidait de son sang. Elle devait être forte pour lui.

– Non, Tim, je ne peux pas te toucher, tu ne sais plus ce que tu dis...

Un éclat de terreur passa dans les yeux du garçon.

– Touche-moi, répéta-t-il. Je ne veux pas être seul...

– Tu n'es pas seul. Je suis là.

– Tu es... à côté. Je te veux dedans, précisa-t-il en esquissant un mouvement en direction de sa tête, encore une fois... S'il te plaît.

Les larmes de Morgane redoublèrent, dévalèrent ses joues, tombèrent sur le visage de Timothée en une pluie salée. Il la suppliait du regard. Le corps secoué de tremblements, Morgane posa sa main sur celle de Timothée. Il tressaillit. Serra ses doigts. Un étrange sourire se dessina sur ses lèvres, puis son visage bascula doucement sur le côté.

– Non, souffla Morgane. Non non non non non ! TIM !

Elle saisit son pull, le secoua violemment sans obtenir la moindre réaction.

Ça n'avait pas de sens. Tout ça n'avait pas le moindre putain de sens !

Quelqu'un la tira par les épaules, essaya de l'écarter. Elle résista, incapable d'accepter que tout ait pu basculer si vite, incapable de croire que Timothée était...

Elle se retourna enfin, croisa le regard de Marc Loizeau sans le reconnaître vraiment. Qui était-il de toute manière ? Il était lié à ceux qui voulaient les tuer. Elle tenta de lui échapper, mais le capitaine l'emprisonna entre ses bras.

– Viens, dit-il doucement, s'efforçant de contenir les mouvements furieux de la jeune fille. Ton père t'attend au commissariat. J'ai beaucoup de choses à vous expliquer.

Morgane secoua la tête, se débattit, refusa de se laisser entraîner loin de Timothée. Un froid glaçant, qui semblait figer l'instant, s'insinuait dans chaque fibre de son corps tandis que des pompiers installaient Timothée sur un brancard.

Lorsqu'ils l'emportèrent vers les grilles de la clinique, Morgane tomba à genoux. Elle contempla la trace dessinée par le corps de Timothée dans l'herbe humide. Les larmes s'interrompirent, comme si elle avait épuisé toutes celles qu'elle possédait. Alors enfin elle libéra ce cri qui comprimait son âme. Il s'éleva dans la nuit, sauvage, animal.

Et ceux qui se trouvaient là frémirent.

02 h 59

Izia

L'écho du cri de Morgane se perdit dans la campagne environnante. Izia s'accroupit, bouleversée, les bras refermés autour des genoux. Sous la lumière crue des spots, la scène semblait irréelle. L'herbe scintillante de rosée était trop verte, comme fluorescente, trouée par les taches sombres de corps allongés. Les hommes en armes et les policiers ressemblaient à des jouets grandeur nature. Ça ne pouvait pas être vrai. C'était un cauchemar, elle allait se réveiller.

La haute silhouette de son père se dressa devant elle. Izia releva la tête, se remit debout lentement. Il posa une main sur sa joue.

– Je vous avais dit de rester dans la voiture.

Izia ne répondit pas, ravalant ses larmes. Son père ferma brièvement les yeux, les rouvrit, saisit le menton de sa fille entre ses doigts.

– Tu n'y es pour rien. Tout ce qui vient de se passer. Tu n'y es pour rien, 'Zia.

Incapable de rester immobile plus longtemps, Izia se jeta dans les bras de son père et le serra fort. Très fort.

Elle avait l'impression de sentir chacun de ses os hurler.

Épilogue
Dispersion

8 heures

Marc Loizeau

Trois véhicules s'arrêtèrent sur le parking d'une aire d'autoroute.

Marc Loizeau descendit de l'un d'eux, ses collègues d'un autre. Du dernier véhicule émergèrent Izia, ses parents, et Morgane accompagnée de son père. Il les regarda approcher, un goût amer dans la bouche.

Son infiltration au sein des terroristes d'EVE était une semi-victoire. La plupart de ses membres, dont leur leader Barthélémy Chevalier, étaient derrière les barreaux ou activement recherchés, et leur identité était connue des enquêteurs, au moins pour les membres de la cellule locale. Mais EVE ne s'arrêtait pas aux frontières de la région. L'organisation était active dans la France entière, et des mouvements de ce type existaient dans de nombreux pays. Surtout, le capitaine n'avait pas réussi à éviter la mort de deux adolescents.

Quant au professeur Martin Klein, il était toujours en fuite avec l'un d'eux et il avait enlevé Ariane, la mère de Morgane, son amie depuis les bancs du lycée. Cela non plus, le capitaine ne se le pardonnait pas.

Les filles et leurs parents le rejoignirent. Marc Loizeau accueillit Morgane d'une main amicale sur l'épaule.

– Des nouvelles de maman ? demanda-t-elle.

– Rien pour le moment, ma puce. Je te jure qu'on va la retrouver. Klein n'a aucun intérêt à la garder avec lui alors qu'il est en cavale.

Morgane hocha la tête, se força à sourire. Quand Marc s'était expliqué, elle était épuisée et bouleversée. Tout était encore confus dans sa tête. Elle l'interrogea à nouveau :

– Comment t'es-tu retrouvé impliqué dans cette histoire, Marc ?

Le capitaine soupira.

– Des individus louches se sont mis à rôder autour de la clinique quelque temps après son installation dans la région, il y a une quinzaine d'années. À l'époque, je travaillais à Rennes pour la DCRI[1] Quand ta mère a reçu des menaces, elle est venue me voir.

– Elle ne m'en a jamais parlé, intervint le père de Morgane.

– Elle ne voulait pas t'inquiéter, Alexis. Et puis elle s'est confiée au flic autant qu'à l'ami. Ce n'était

1. Direction Centrale du Renseignement Intérieur

pas la première fois que ce type de menaces était proféré contre des généticiens, aussi ma hiérarchie a-t-elle décidé d'enquêter. Quand Ariane a commencé à... quand elle a été internée, je me suis demandé si ça n'avait pas un rapport avec les pressions anonymes dont elle était victime, et je me suis proposé pour infiltrer EVE dont nous venions de découvrir l'existence. J'ai intégré le commissariat local en guise de couverture. Je voulais découvrir si les menaces dont Ariane se plaignait étaient réelles ou s'il s'agissait, comme les médecins le prétendaient, d'un délire paranoïaque. C'était ma meilleure amie, Alexis...

Le père de Morgane secoua la tête.

– J'ai été le seul à ne pas la croire. Je suis son mari et je les ai laissés l'interner...

– Tu as cru ce que te disaient les médecins. Tu n'as rien à te reprocher, vraiment. Moi-même je ne me suis pas méfié d'eux, toute mon attention était focalisée sur EVE.

– Et qu'est-ce que tu as trouvé quand tu les as infiltrés ? demanda Morgane.

– Le plus troublant, c'est qu'ils ne sont pas réductibles à des intégristes religieux, un parti politique, ni même à une classe sociale spécifique. Par exemple, certains sont anti-IVG, d'autres non. Seuls deux éléments les rassemblent : la conviction que l'homme – et plus globalement la nature – ne devrait pas être modifié artificiellement, et la volonté de défendre leurs points de vue de façon musclée.

– C'est débile, observa Érik en secouant la tête. Que les hommes modifient la nature ne date pas d'hier… Les bidouillages génétiques de Klein, par contre, je comprends qu'on s'y oppose.

– Ouais… mais j'ignorais encore tout des activités de la clinique. Toujours est-il que pendant plusieurs mois, je n'ai rien trouvé de sérieux. Puis je me suis intéressé au leader de l'organisation, Barthélémy Chevalier, qui cultivait le secret autour de sa personne. J'ai découvert qu'il s'agissait d'un ancien généticien et qu'il avait travaillé à la clinique des Cigognes. Je tenais un lien direct avec Ariane ! Pendant des années, mon seul objectif a été de me rapprocher de cet homme pour comprendre pourquoi il avait quitté la clinique, comment un scientifique avait pu devenir terroriste, ce qui avait pu conduire Ariane à un tel degré de paranoïa… Barthélémy ne se confiait à personne. Peu à peu, son discours est devenu de plus en plus haineux. J'ai vu les membres d'EVE s'entraîner au maniement des armes à feu. Rien n'était illégal, ils avaient tous un port d'arme. Les actions sur lesquelles nous lançait Chevalier étaient de plus en plus musclées. J'ai informé mes supérieurs que quelque chose se préparait, mais malgré ma proximité avec cet homme, j'ignorais de quoi il s'agissait. Tout s'est accéléré il y a une petite semaine, quand cette liste de noms est apparue, grâce à Jonas, un hacker qui a pénétré la base de données de la clinique.

08 h 17

Izia

Izia serra la boîte dans sa poche. Jonas devait être la même personne que ce Joy dont leur avait parlé Nathan. Ni les filles ni Érik n'avaient évoqué E-Nathan auprès des policiers. Ils n'allaient pas le faire maintenant.

– Ces adeptes, s'étonna Morgane, les membres d'EVE, ils savaient que tu étais policier, non ?

– Oui. Justement. Dans l'organisation, mon rôle consistait à classer toutes les affaires les concernant pour qu'on ne remonte jamais jusqu'à eux. Je vais transmettre dès aujourd'hui toutes ces affaires à ma hiérarchie, le dossier que j'ai compilé au cours des années est accablant.

– Et Klein ? Il ne va pas s'en sortir comme ça ?

– Sûrement pas. Il a beau avoir détruit l'intégralité de ses données avant de s'enfuir, on a largement de quoi l'inculper dès qu'on l'arrêtera.

Le capitaine consulta sa montre, échangea un bref regard avec ses collègues qui attendaient à quelques pas.

– On va tout mettre en œuvre pour retrouver Ariane, Martin Klein et Samuel. Mais aussi les activistes d'EVE qui courent encore. En attendant, vous devez disparaître. L'un d'eux risquerait de s'en prendre à vous. Les lieutenants vont vous conduire jusqu'à vos nouveaux lieux de résidence. Ils vous diront en chemin tout ce qu'il faut que vous sachiez pour commencer cette nouvelle vie.

Il se retourna vers Morgane et Izia.

– Les filles, je suis désolé, vous ne pourrez pas rester en contact. Ni mail, ni téléphone, ni Facebook, ni Twitter, rien. Les terroristes ne doivent pas pouvoir remonter jusqu'à vous.

Izia sentit son cœur se serrer.

– Ce ne sera pas un problème, fit-elle. On n'est pas vraiment amies.

– Nous ? Amies ? renchérit Morgane du tac au tac. Et puis quoi encore ?

Les filles échangèrent un sourire complice qui s'effaça lentement. Elles n'eurent pas besoin de parler pour savoir qu'elles pensaient à la même personne. À la même absence. Tim.

– À jamais, alors, lâcha Izia.

Morgane hocha la tête.

– C'est ça, à jamais.

Elles partagèrent un dernier regard, cachant leur émotion. Puis, d'un élan commun, elles se retournèrent et rejoignirent leurs parents dans deux véhicules de police banalisés qui démarrèrent aussitôt.

Izia serra E-Nathan dans sa poche, jetant un coup d'œil circulaire dans la voiture. Son père à l'avant avec le policier, sa mère sur la banquette arrière. Les avoir tous les deux à ses côtés lui faisait un drôle d'effet, même si cela ne durerait que le temps d'un trajet. Vers où ? Izia ressentit une bouffée de culpabilité en pensant que ses parents étaient forcés d'abandonner leur vie, de couper les ponts avec leurs amis, leurs collègues... Sentant son trouble, sa mère saisit sa main et la serra.

Izia ne pouvait oublier le discours que leur avait tenu le professeur Klein. Les mots résonnaient encore et encore, un écho perturbant dont elle ne savait que penser. *Le jour où des parents devront choisir entre améliorer leur enfant pour lui donner toutes les chances de réussir, de vivre en bonne santé et plus longtemps, ou bien de le concevoir de manière naturelle au risque qu'il ne soit pas adapté à la société dans laquelle il vivra, que pensez-vous qu'ils feront ? Chacun désire le meilleur pour ses enfants. Et le meilleur, c'est vous. Ce jour viendra, plus tôt que vous ne le pensez. Alors l'espèce humaine aura basculé dans une nouvelle ère.*

Izia n'arrivait pas à décider si ces changements étaient bons ou mauvais. Ni l'un ni l'autre, probablement. Mais elle allait devoir vivre avec cette réalité, trouver sa place dans ce monde en pleine mutation. Elle n'était pas naïve, elle se doutait que ceux qui souhaiteraient tirer avantage de pouvoirs comme les siens étaient nombreux. Les médecins, l'armée... Pourtant, elle ne désirait pas devenir un rat de laboratoire, ni l'ambassadeur médiatique d'une nouvelle humanité, ni même un soldat spécial au service de l'État. Elle devait créer une autre voie. La sienne.

Et puis ils étaient les premières « réussites » du groupe de généticiens, mais ils n'étaient probablement pas les seules. Combien de cobayes avaient-ils modifiés ces dernières années ? Combien d'enfants, en ce moment même, grandissaient sans avoir la moindre idée de ce qu'ils portaient dans chacune de leurs cellules ?

Et que se passerait-il lorsqu'ils l'apprendraient ?

09 h 10

Morgane

À une dizaine de kilomètres de là, Morgane fixait le ruban gris de la quatre-voies qui défilait de l'autre côté de la vitre. Laisser sa vie entière derrière elle pour recommencer ailleurs ne lui faisait pas plaisir, mais après avoir découvert la nature de son pouvoir, c'était un soulagement. En quittant tout, elle se défaisait de relations et d'amitiés basées sur les mensonges.

Morgane referma lentement ses doigts autour de l'accoudoir. Marc souhaitait qu'elle se fasse oublier pour un temps. Soit. Pour un temps seulement. Sa mère était prisonnière de celui qui avait ruiné la vie de sa famille et provoqué la mort de Timothée. Ce trou béant dans son ventre, insupportable de douleur, elle désirait que le professeur Klein le ressente à son tour. Oh, elle ne savait pas encore comment elle s'y prendrait – et atteindre son objectif lui coûterait peut-être des années de préparation.

Mais un jour ou l'autre, elle aurait sa revanche.

10 h 22

Timothée

Lumière.

Chuchotements.

Douleur.

Timothée grimaça, ouvrit péniblement les yeux, tourna la tête pour éviter la luminosité que délivrait une grosse lampe au-dessus de lui.

– Tu es réveillé, fit un homme près de lui. C'est bien, tu as eu de la chance, les balles n'ont pas touché ton cœur.

Timothée plissa les paupières. Il aperçut un homme en blouse blanche. D'autres personnes se tenaient derrière lui, dans l'ombre.

– Rendors-toi, Timothée, tu as besoin de repos.

– Le… les filles ? articula péniblement celui-ci.

L'homme eut un air peiné. Il se retourna. Un deuxième homme approcha du lit. Une cinquantaine d'années, visage agréable, regard franc, il portait plusieurs décorations sur son uniforme militaire.

– Tes amies sont mortes dans la fusillade, annonça-t-il d'une voix douce. Toutes les deux. Je suis désolé.

À ces mots, Timothée sentit un gouffre s'ouvrir dans son ventre. Des larmes inondèrent ses joues sans qu'il fasse le moindre effort pour les retenir.

– Ne t'en fais pas, mon garçon, tu es à l'abri ici, nous nous occuperons de toi. Mais le chirurgien a raison, tu dois te reposer, tes blessures sont loin d'être guéries.

Timothée ne l'entendit qu'à demi. Il devinait la présence familière des drogues dans son organisme, l'empêchant de percevoir avec acuité les intentions des hommes à son chevet. Il ferma les paupières. Les médicaments atténuaient peut-être la douleur physique, mais elles ne pouvaient entraver la tempête qui se brisait en ce moment contre les parois de son crâne.

Morgane et Izia étaient mortes.

Il était à nouveau seul.

Tout seul.

Effondré, Timothée choisit la fuite, laissant le sommeil le reprendre avec l'espoir de ne jamais se réveiller.

À suivre…

Merci à

Maman/Caroline/Agnès/Guylain/Rageot team/
Sam/Adrien/Charlotte/Maya/Alain/Luc.

L'AUTEUR

Née en 1987, Manon Fargetton a grandi à Saint-Malo, entre rochers et tempêtes, les yeux fixés sur l'horizon. Son besoin d'écriture la pousse à composer poèmes et chansons dont elle recouvre les pages de ses cahiers. Puis au lycée, une histoire prend forme dans sa tête tandis que des personnages frappent à la porte de son imagination... Ils seront à l'origine de son premier roman *Aussi libres qu'un rêve*, qu'elle publie à dix-huit ans.
Depuis, les personnages s'alignent dans sa tête en une véritable file d'attente, et elle fait de son mieux pour entendre leurs voix afin de leur offrir l'existence d'encre, de papier et de pixels qu'ils méritent.
Avec *Le suivant sur la liste*, elle signe son premier thriller en ré-explorant les lieux de son enfance.
Manon vit à Paris où elle partage son temps entre ses deux métiers : régisseur lumière au théâtre et écrivain. Quant à demain... on verra bien ! Car d'âme nomade, ses plans d'avenir ont tendance à être aussi évolutifs que sa coupe de cheveux !
Retrouvez-la sur sa page facebook
https://www.facebook.com/ManonFargetton

RAGEOT ✸ *THRILLER*

Charlotte Bousquet

Proie idéale

Morgane a disparu. Elle devait rencontrer un photographe pour réaliser un book afin de devenir top model.
Lancées sur ses traces, Ljuba et Cam comprennent vite que leur amie s'est laissé entraîner par un individu peu scrupuleux...

Samantha Bailly

À pile ou face

Grâce à la divination et au *Livre des mutations*, Emma découvrira-t-elle pourquoi son frère est mort et dans quelles circonstances sa camarade de classe a disparu ?

Paul Halter

Spiral

La lande bretonne. Une demeure isolée, au vertigineux escalier. Une pièce interdite. Un propriétaire inquiétant et ses invités. Pas de réseau, aucune communication possible. Mélanie, qui s'imaginait passer des vacances tranquilles, s'affole...

RAGEOT ✸ *THRILLER*

Fabien Clavel

Décollage immédiat

Je m'appelle Lana Blum. Ma mère a disparu. Un homme me poursuit. Les rouages d'un incroyable complot se dessinent autour de moi. Je fuis d'aéroport en aéroport, d'avion en avion. Ce qui m'attend à l'arrivée ? Je l'ignore.

Anne Fakhouri

Hantés

Samuel est hanté par des voix mystérieuses depuis la mort suspecte de son beau-père. Quand il rencontre Darius dans son nouveau lycée, celui-ci lui fait comprendre qu'ils souffrent du même mal...

Marin Ledun

Interception

Épileptique et victime de cauchemars récurrents, Valentine intègre un lycée-clinique expérimental. Le professeur Hughling décèle en elle un don prodigieux : l'interception.

RAGEOT s'engage pour l'environnement en réduisant l'empreinte carbone de ses livres. Celle de cet exemplaire est de :
494 g éq. CO_2
Rendez-vous sur www.rageot-durable.fr

Achevé d'imprimer en France en janvier 2014
sur les presses de Normandie Roto s. a. s.
Dépôt légal : février 2014
N° d'édition : 5986 - 01
N° d'impression : 1400223